THE TIMES

Ultimate
Su Doku

THE ✦ **TIMES**

Ultimate
Su Doku

compiled by Wayne Gould

First published in 2005 by Times Books

HarperCollins Publishers
77–85 Fulham Palace Road
London
W6 8JB

www.collins.co.uk

Reprint 2

The Times is a registered trademark of Times Newspapers Ltd

ISBN 0-00-722057-X

A catalogue record for this book is available from the British Library.

Printed and bound in Great Britain by Clays Ltd, St Ives plc.

Contents

Solutions

The Ultimate Guide to Solving Su Doku

Diagram 1

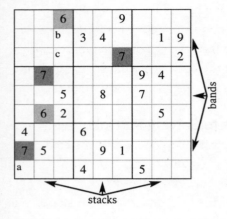

stacks

Let's start with the most basic technique of all, the **Slice**. In Diagram 1, look at the leftmost vertical chute.

If you are interested in the terminology, three boxes in a line are called a 'chute'. So the typical Sudoku grid has six chutes – three of them are horizontal, and three of them are vertical. In fact, if you want to get really particular, the three horizontal chutes are called 'bands' – so there is the top band, the middle band and the bottom band. The three vertical chutes are called 'stacks' – so there's the left stack, the middle stack and the right stack.

We have these special terms – chutes, bands and stacks – because a lot of the Sudoku techniques depend on analyzing sets of three boxes in a line.

So, getting back to Diagram 1, have a look at the left stack – that is, the leftmost vertical chute. You will see that the top and middle boxes in the stack already have a 6, but the bottom box does not. The 6 in the top box is the 6 for all of column 3, so the 6 for the bottom box of the stack cannot go in the column 3 part of the bottom box. Similarly, the 6 for the middle box of the stack is the 6 for the entire column 2, so the 6 for the bottom box cannot go in the column 2 part of the bottom box. There is only one place left in the bottom box for a 6 to go, and that is in the cell marked 'a'.

We call it 'Slicing' because we slice off the columns – columns 2 and 3 in this case – and hope that the column that remains in the stack (column 1) will have only one place left for the prospective number (6) to go.

Diagram 1 shows Slicing columns away from stacks, but you can Slice rows away from bands, too. It works on just the same principle.

Slice-and-Dice is an extension of the Slice. In Diagram 1, note that the left stack has two 7s out of a possible three 7s. When you think about it, every chute must have three of each number, one occurring in each box of the chute. In this case, there are only two 7s and the box with the missing 7 is the top box of the stack.

After Slicing columns 1 and 2 away (those are the columns with the 7s), we see that there are still two places where a 7 can go in the top box. They are the cells marked 'b' and 'c'. Having Sliced, it's time to Dice, so look in the opposite direction. That is, we have already looked at the columns so now look at the rows. You will see there is a 7 in row 3 already. Because that is the 7 for all of row 3, and because we can have only one of each number in a row, we can't have another 7 in cell 'c'. So there is – after all – only one place for a 7 in the top box of the left stack, and that is in cell 'b'.

Now take a look at the partly-solved puzzle in Diagram 2.

Diagram 2

1		8		6	7			2
9	6	7	d			5	1	8
2				8			7	6
8						2		5
5	c		7	2	4			1
3		2				7		
6	8			7				4
a		9	d			1		3
b				3				7

We can use the leftmost column (column 1) to illustrate another common technique called **Uniques**. There are only two 'gaps' or unfilled cells (marked 'a' and 'b') in column 1. The missing numbers are 4 and 7. Do either of the intersecting rows have a 4 or a 7 in it? In fact, there is a 7 at the far end of row 9. That 7 prevents cell 'b' from being a 7. So the only place a 7 can go in column 1 is in cell 'a'. We can say that cell 'a' is the unique position for 7 in column 1.

The Uniques technique applies to rows, just as it does to columns. In fact, it also applies to the 3x3 boxes. We can say that the Uniques technique applies to all 'units'. Rows, columns and boxes are all kinds of 'units'. Each unit contains nine cells. In a row, the nine cells of the unit are horizontal. In a column, the nine cells of the unit are vertical. And in a box, the nine cells are in a 3x3 layout.

The Uniques technique also applies when there are more gaps than two. If you have a row, say, with 3 gaps, check the intersecting columns. If you are lucky, two of the columns will already have one of the numbers which is missing from the row, leaving just one place – a unique place – for the number to fit in the row.

Let's now think about **Singletons**. A Singleton is one cell that can take only one specific number. If you look in the rightmost column (column 9) in Diagram 2, you will see that it has only one gap. It's an easy matter to work out which number is missing. It's a 9, so you can write it into the empty cell in column 9. There is no way that any other number could fit in that cell, so the cell is a Singleton for 9.

What's the difference between Uniques and Singletons? At first sight, they may seem similar, or even the same – but they are definitely different. Here's the difference:

For Uniques: Start with a unit and find the only place a certain number can go.

For Singletons: Start with a cell and find the only number it will take.

Note that cell 'a' in Diagram 2 is not a Singleton, because theoretically it could take both a 4 and a 7. It is only because we know that cell 'a' is the Unique place for a 7 in column 1 that we can forget about a 4 in cell 'a'.

On the other hand, the empty cell in column 9 is both Unique and a Singleton.

Singletons are often easy to spot. Especially when a unit

has only one gap, of course! However, when the number of gaps increases, Singletons can be very hard to spot. For example, look at cell 'c' in Diagram 2. It may not be immediately obvious, but it is a Singleton for 9. Take a moment to check this out for yourself. The row that cell 'c' is in, already has 1, 2, 4, 5 and 7. The column it is in adds two new numbers: 6 and 8. The box it is in adds a 3. That's eight different numbers altogether. There is only one number missing, and that's a 9.

In the Difficult puzzles, you will often have to think about **Phantoms**. We will use Diagram 3 to illustrate this. Diagram 3 is a more advanced stage in the solving of the puzzle in Diagram 1.

Diagram 3

		6	8		9	4	7	5
		7	3	4		6	1	9
	9	4		6	7			2
8	7					9	4	
	4	5	9	8		7	2	
9	6	2	c		4		5	
4	a		6	b				
7	5			9	1		6	4
6	a		4	b		5		

First, have a look at the 2 in row 6, column 3. What effect does that 2 have on the possible places for a 2 in the box at the bottom-left?

The bottom-left box is actually called box 7, because we number the boxes like this:

1	2	3
4	5	6
7	8	9

So putting it another way, what effect does the 2 in box 4 have on 2s for box 7? In fact, the 2 in box 7 can go only in the two cells marked 'a'. At this point, you may be tempted to give up, saying to yourself, 'Well, it could go in either of those cells and I see no way of telling which, so it is pointless looking at it further'.

But wait, you know more than you think you know. You will notice that the two cells 'a' line up together. They are both in the same column (column 2). You don't know exactly where the 2 will go in the box 7, but one thing you can say for certain: the 2 must go in column 2. Wherever it goes, it will be the 2 for all of column 2. It will be the only 2 in column 2.

So, redrawing the left stack of Diagram 3, we see that there are two possibilities for the left stack, as shown in Diagram 4 (page xii).

Is this starting to look familiar? In both cases, don't they look like chutes with two out of three numbers already in place? In fact, it's only the top box of the chute that is missing its 2. The 2 for the top box must go in column 1. Now, that's something you didn't realize you knew!

If you go back to Diagram 3, you will see that there is already a 2 in row 3, at the end of the row. That 2 limits the

Diagram 4

c		6
c		7
	9	4
8	7	
	4	5
9	6	2
4	2	
7	5	
6		

c		6
c		7
	9	4
8	7	
	4	5
9	6	2
4		
7	5	
6	2	

possible placement of the 2 in the top box of our left stack (box 1). In fact, the only possible places a 2 can go in box 1 are the two cells marked 'c'. There are five empty cells in box 1, but because of the Phantom 2 in box 7 we were able to limit the possibilities to two cells.

As it happens, the Phantom 2 is not productive in this case. It doesn't lead us to the point where we can enter a new number in the grid. Nevertheless, if you want to solve Difficult puzzles, you have to take note of where these Phantom-based Slices and/or Dices occur. If you can remember where they are, you will be able to make use of them eventually.

Look for cases where the possible placements of a number in a box appear in the same column – as do the 'a's in Diagram 3. Or in the same row – it works on the same principle.

Sometimes Phantoms are harder to spot. In box 8 of Diagram 3, can you tell where the 7s must go? To work that out, you have to be aware of the 7 above, in column 6;

and the 7 to the left, in row 8. The only places a 7 can go in box 8 are the cells marked 'b'. That might not be obvious, until you stop and work it out. But hey! the cells marked 'b' are lined up in the same column.

This time the Phantom 7 in box 8 is productive because we can apply Phantom Slicing and Dicing to box 5, and place a 7 at cell 'c'. See the magic of Phantoms – we were able to place a 7 in the middle stack, even though we had only one 7 already written in the stack, not two.

We call them 'Phantoms' because we cannot yet pin down their precise placement, but we can imagine where their ghostly images should appear. We know which columns (or rows) they must occupy. At the time they are useful to us, the Phantoms are not actually written in the grid – unless perhaps, as pencilmarks.

Let's go back to Diagram 2, and see another example of Phantoms. In the central column (column 5) note the cells marked 'd'. The 1's in rows 2 and 8 mean that the cells 'd' cannot contain 1's. So the only place in column 5 that contain 1 are the empty cells immediately above and immediately below the 2. Both of those empty cells are in box 5 and, what's more, they are in a line in the same column (column 5).

From the perspective of the box, box 5's 1 is in column 5. From the perspective of the column, column 5's 1 is in box 5.

That information is not of immediate use, just yet, but remember it, because as solving progresses you will find the location of the 1 in either the top box or the bottom box of the stack, and then you might be able to complete the set-of-three by using Slicing and/or Dicing.

For Fiendish puzzles, you will have to know something about **Doubletons**.

In box 4 in Diagram 5, where can the 6 and 7 go? A little computation will show you that the 6 and 7 must occupy the two cells marked 'a'.

After more practice, you will not have to do the computation for this. You can save yourself the effort of writing in the pencilmarks, because you will notice the 6 and 7 below in column 2 of box 7, and you will realize that the 6 and 7 cleave box 4 in half, leaving only two cells remaining in box 4.

Diagram 5

	3				8			
			3	6	5	9	7	
5					9	3	8	
1	9	3	5	8	6	4	2	7
a	b	4		1		8		9
2	8	a	9		4			
c	6	c	4					3
	7	1	8	9				
	e	d	6				9	8

But, for the moment, you may be saying to yourself, 'Well, so close and yet so far – I know where the 6 and 7 must go but I have no way of telling which one goes where'. You may be thinking it's a dead end.

Again, you know more than might appear at first. Paradoxically, it's time to forget about placing the 6 and 7.

It's time to think about what your new information (about where the 6 and 7 go) means for the other numbers in box 4. Because you can say that the two 'a' cells must be 6 and 7, you now have only one unidentified, uncommitted cell in box 4, and that's the cell marked 'b'. What's the only unidentified number in box 4? A 5. You can write the 5 into cell 'b'.

Let's try and apply this Doubleton technique some-where else in the puzzle. Turn your attention to box 7. Where can 8 and 9 go in box 7?

You might do this with pencilmarks and find that 8 and 9 can go only in the two cells marked 'c'. Or you might notice the 8 and 9 in row 8, and the 8 and 9 in row 9, and realize that the 8 and 9 in box 7 have to go in row 7. And if you are really skilled, you might never bother writing any pencilmarks at all.

If you had found that there were, say, three cells where 8 and 9 could go in box 7, this Doubleton technique would not work. But when you find two cells (and exactly two cells) where two numbers can go, you can divide and conquer. Instead of having 6 gaps in box 7 as at present, you effectively have only 4 gaps – because you know that two of the gaps (the ones in row 7 of box 7) must be reserved for the digits 8 and 9.

Is this information (where 8 and 9 must go in box 7) productive? As it happens, it is but this is not always the case. Try to place a 5 in box 7. The 5 in column 1 obviously means that we cannot have a 5 in the lefthand column of box 7. We cannot have a 5 at cell 'e' because of the 5 we entered a while ago at cell 'b'. We cannot put a 5 in cell 'c' in column 3, because that cell is reserved for either an 8 or a 9. There is only one place left for a 5, and that is cell 'd'.

The Doubletons we have looked at have been in a box, but you can have Doubletons in all units. That is, you can have Doubletons in rows and in columns, not just in boxes.

The kind of Doubletons we have used so far are **Doubleton Numbers**, but there's another kind, called **Doubleton Cells**. Here is a summary of the difference between them:

For Doubleton Numbers: Find two numbers that can be found in exactly two cells.

For Doubleton Cells: Find two cells that can only take the same two numbers.

Confused? Let's look at an example of Doubleton Cells, in Diagram 6.

Diagram 6

	6		5	4	7		2	(18)
	1	5	9	2	3	4	6	8
	4		1	8	6		5	3
5	7		3				8	3
		4					3	18
6				5	4		1	9
4			6		8		7	1
	8	7	4	3	5		9	1
	5	6	2	3			4	(18)

Start with column 9, in the top cell (row 1). What numbers could that cell possibly take? You can plot it with pencilmarks, if you like. Or you could work it out mentally, by saying: row 1 has 4 gaps and the missing numbers are 1, 3, 8 and 9; but column 9 already has a 3 and a 9, so the only candidates for column 9/row 1 are 1 and 8. In any event, you reach the stage where you realize that the pencilmarks for that cell are 1 and 8.

If you do a similar exercise for the bottom cell of column 9 (in row 9), you will conclude that the pencilmarks for that cell are also 1 and 8. So you have found Doubleton Cells – namely, two cells that only take the same two numbers. One of them will take '1' and the other will take '8'. At this stage, you don't know which will take which, but between them, they account for the 1 and the 8. The numbers 1 and 8 cannot go anywhere else in column 9.

So that means if there are any other cells in column 9 which appear as if they could take a 1 or an 8, you can disregard them. Diagram 6 shows some cells in column 9 which seem as if they should be able to take 1 and/or 8. But the Doubleton Cells have defined where the 1 and 8 must go, and that is conclusive.

Are the Doubleton Cells productive in this case? Yes, they are. The candidate '8' that you may have written in as a pencilmark in row 2/column 9 can be erased, because the 8 for column 9 can go only in row 1 or row 9. The erasure means that row 2 now has only one place for an 8 to go, and that is at the start of the row (row 2/column 1).

With Doubleton Cells, the two numbers (1 and 8, in this case) can appear elsewhere in the unit, outside of the Doubleton Cells. Indeed, you hope they do, because you can eliminate them as candidates.

On the other hand, with Doubleton Numbers, the two numbers cannot appear outside of the two cells concerned. However, the two cells involved might have other candidates, besides the two we are interested in. Remember that in Diagram 5 we found that the cells marked 'a' were the only places that 6 and 7 could go in box 4. But if you were writing pencilmarks into the cell marked 'a' in column 3, you would write not just the 6 and 7, but also 5.

This may sound confusing, and perhaps it is, but I guess it's part of what makes Fiendish puzzles fiendish! And it also illustrates the fact that too many pencilmarks can be a bad thing. If you are writing too many pencilmarks, it means you are not understanding how the puzzle works. You may be relying too much on mechanical procedures, without appreciating the underlying logic. If, in time, you can shake yourself free of written pencilmarks, you will see the Sudoku puzzle for what it is – a thing of beauty! Epiphany beckons.

Wayne Gould

Puzzles

Starter

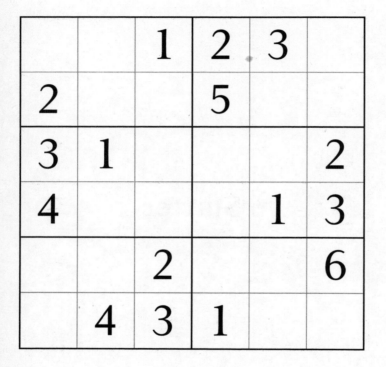

Time taken to solve:

Ultimate Su Doku

		2			
3				5	
6			1		2
2		6			5
	1				6
			5		

Time taken to solve:

Starter

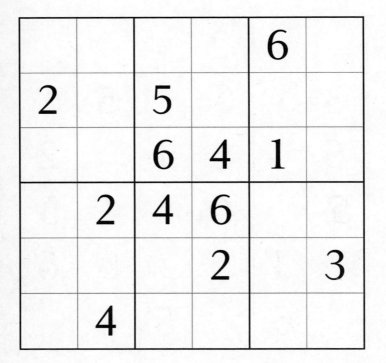

Time taken to solve:

				4	
	1	6		3	
			5		1
5		4			
	3		2	6	
	6				

Time taken to solve:

Starter

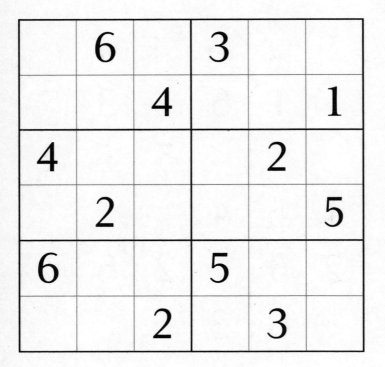

Time taken to solve:

Ultimate Su Doku

6

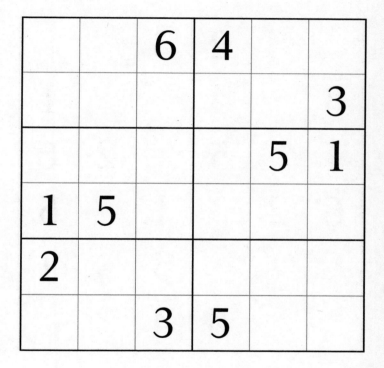

Time taken to solve:

		2	3		
3					
1		5			6
6			1		5
					1
		6	4		

Time taken to solve:

Ultimate Su Doku

	3		6		
1		3		5	
	4		1		2
		2		6	

Time taken to solve:

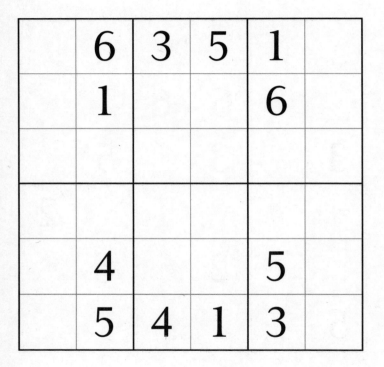

Time taken to solve:

Ultimate Su Doku

			5		1
		6		5	
3					
					4
	1		6		
5		2			

Time taken to solve:

Starter

Easy

			2		7	1	3	
5	4			6			8	
	1		9				5	2
9	5			8	2			6
		6				7		
3			5	9			4	8
8	2				4		7	
	3			2			6	9
	6	5	1		9			

Time taken to solve:

Ultimate Su Doku

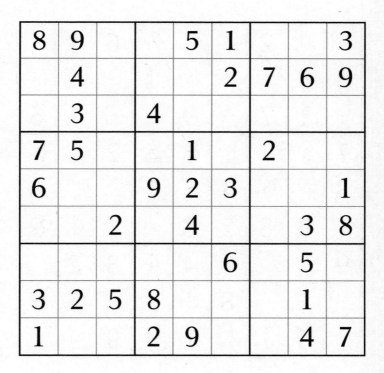

8	9			5	1			3
	4				2	7	6	9
	3		4					
7	5			1		2		
6			9	2	3			1
		2		4			3	8
					6		5	
3	2	5	8				1	
1			2	9			4	7

Time taken to solve:

Easy

		2		8		6	4	
8	3				1			
	1	7		9				5
7				6	8	2	1	
3			4		7			8
	6	8	5	3				9
9				4		3	2	
			8				5	6
	5	1		7		9		

Time taken to solve:

Ultimate Su Doku

2	5			1			4	7
		3			8	6		
4			6	5			9	
	1	9	2				6	
6			7		9			1
	8				4	9	3	
	3			2	7			6
		5	3			2		
7	4			9			1	8

Time taken to solve:

Easy

3		8		5				1
		6	8		1	2		
	9		3				4	5
	8			7		4	2	
6			2		5			9
	1	7		9			3	
4	2				6		8	
		3	7		9	1		
5				3		9		2

Time taken to solve:

Ultimate Su Doku

8			7	3				4
9	6		4	1			8	
		7		9	8	2		
1			8	7				
	8	2				4	7	
				5	9			3
		6	1	4		9		
	4			8	7		3	5
3				2	5			6

Time taken to solve:

Easy

	5	6		8	4	9		
			3		1			7
8		3				1		6
9	2			5			8	
3			4		7			2
	1			2			3	4
4		2				3		8
5			2		6			
		7	9	4		2	1	

Time taken to solve:

Ultimate Su Doku

	8		7		5		9	
5	3		1				6	4
		7		6		5		
2			4		8		3	7
		3				9		
9	7		5		6			2
		2		5		4		
3	5				9		2	1
	6		8		4		5	

Time taken to solve:

Easy

	3		5			9		
		7			8	2		1
8	6	9			1	3	7	
	2	1		6				7
			2		3			
9				4		5	3	
	7	3	8			4	5	9
5		4	7			6		
		8			4		1	

Time taken to solve:

Ultimate Su Doku

2				3	6			1
	5	4				6	8	
	7		9		8		2	
6		1		5		9		
4			3	6	7			2
		8		2		5		4
	1		4		3		5	
	4	3				7	9	
9			7	8				3

Time taken to solve:

Easy

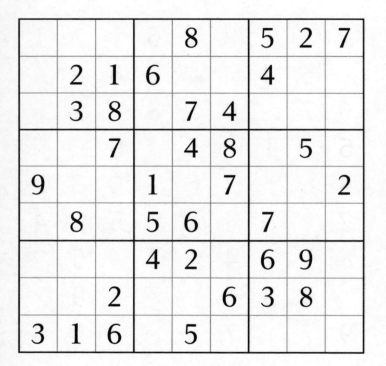

Time taken to solve:

	1	3	8				7	
		4			9	1	2	
6					4			5
5				2	3			6
	6	7				9	3	
2			4	6				1
8			3					9
	9	2	1			8		
	7				8	4	5	

Time taken to solve:

Easy

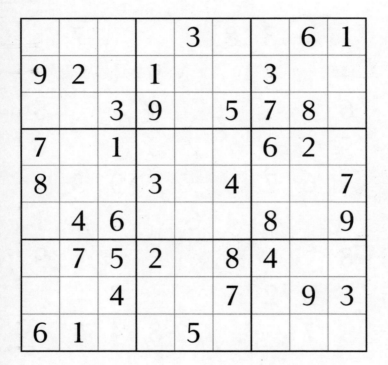

Time taken to solve:

3	8			2			7	1
9	6		7				4	2
			4		9			
		8		4		5	9	
4			1		7			8
	5	6		9		2		
			3		2			
6	1				8		2	5
8	2			1			3	6

Time taken to solve:

Easy

Time taken to solve:

			6			8	4	
	2	3			7			6
8	1				9		2	7
	3			1	5			
	4	7		2		1	9	
			9	6			8	
7	6		8				1	2
2			5			4	3	
	9	5			1			

Time taken to solve:

Easy

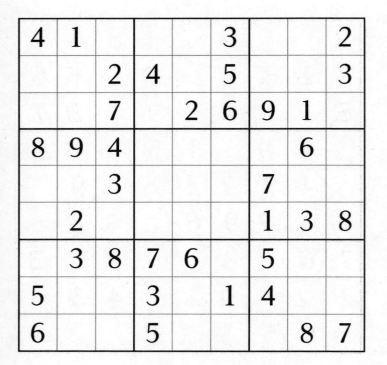

Time taken to solve:

Ultimate Su Doku

Time taken to solve:

Time taken to solve:

Time taken to solve:

Easy

Mild

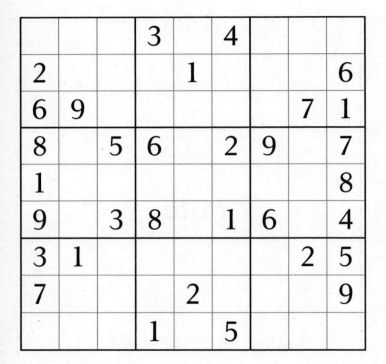

Time taken to solve:

Ultimate Su Doku

4		1			6		5	
2	6		7				1	
5				4	3			
3				1	9			
8								5
			4	3				1
			3	8				7
	7				4		3	9
	4		5			1		2

Time taken to solve:

Mild

Time taken to solve:

34

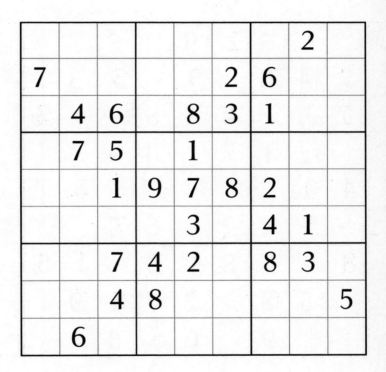

Time taken to solve:

Mild

Time taken to solve:

Time taken to solve:

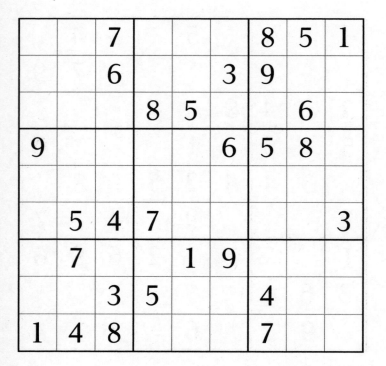

Time taken to solve:

	4	5				7	6	
		8				9		
3			4		9			8
5				8				9
	3	4	6		5	1	8	
2				1				7
1			2		3			6
		6				3		
	9	3				2	7	

Time taken to solve:

Mild

Time taken to solve:

					9			5
2	7		5				1	
				3		7	9	
9	1		3					
		3	2	1	5	9		
					6		5	3
	6	2		4				
	8				3		6	9
1			6					

Time taken to solve:

Mild

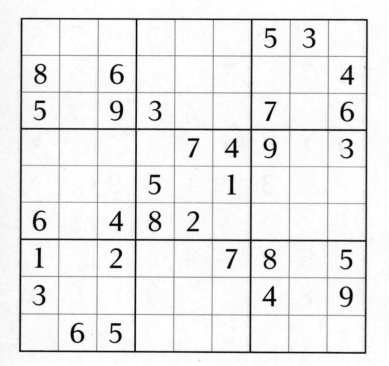

Time taken to solve:

Ultimate Su Doku

	8	4				9	6	
3								7
			7	1	4			
9		5	3		7	6		8
		8				3		
1		6	2		9	7		5
			1	9	6			
8								6
	4	7				1	2	

Time taken to solve:

Mild

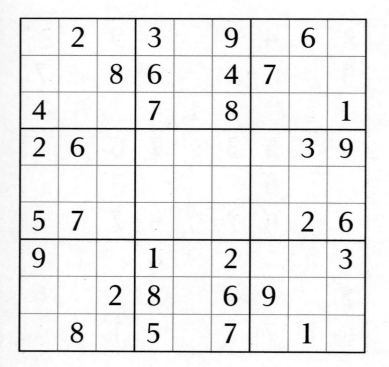

Time taken to solve:

8								2
5			8		9			7
	4		2		7		6	
		3	4	8	5	2		
		9				6		
		8	1	9	6	4		
	8		9		4		1	
7			5		3			4
6								3

Time taken to solve:

Mild

Time taken to solve:

7		8	3		9	1		6
	1			2			5	
3								2
			2		4			
		4	5		1	8		
			7		6			
2								8
	3			4			6	
5		6	9		2	4		1

Time taken to solve:

Mild

	9	7	1	3	4	2	8	
3			9		5			6
			2					
	7						9	
4		6				5		2
	5						6	
				4				
7			6		1			3
	6	5	8	7	3	9	1	

Time taken to solve:

Ultimate Su Doku

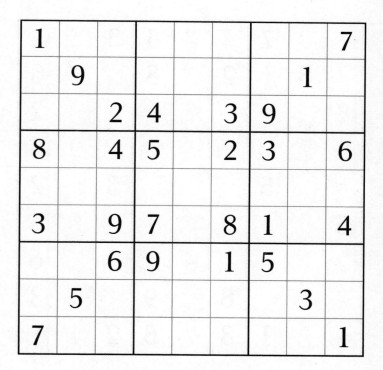

Time taken to solve:

		7	4		5	8		
	6		2		8		7	
8								2
3			7		2			8
		5				3		
6			9		1			5
2								6
	7		8		9		1	
		1	3		6	2		

Time taken to solve:

Ultimate Su Doku

	2		3		8	4		
7					1	2		8
	3			9				
	6			9				
2		3	8		4	9		5
		7			6			
			1			6		
5	1	6						2
	7	9		2		1		

Time taken to solve:

Mild

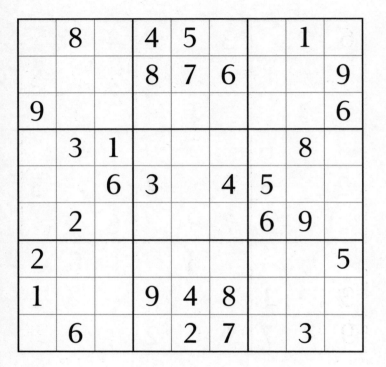

Time taken to solve:

Ultimate Su Doku

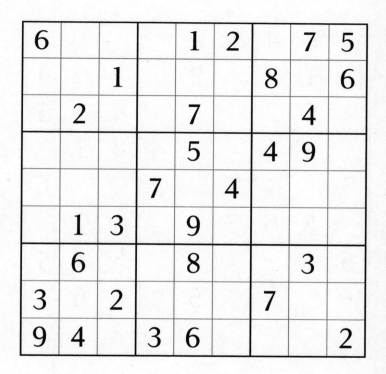

Time taken to solve:

Mild

		4	8					
	1	7		9				
	5	2						1
	9				4	8	1	
5			7		2			6
	8	6	3				7	
6						5	4	
			5			1	6	
					8	3		

Time taken to solve:

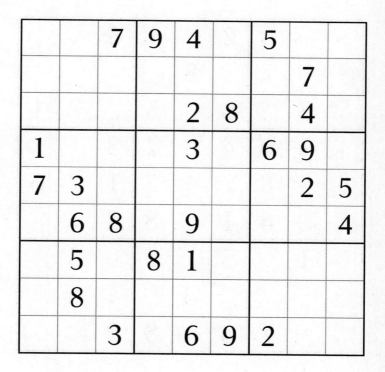

Time taken to solve:

Mild

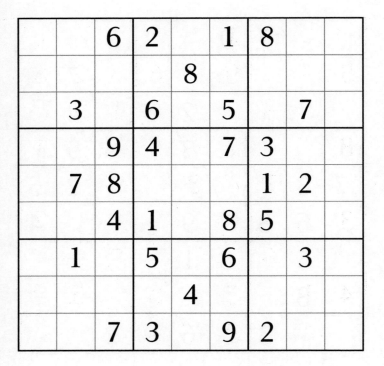

Time taken to solve:

Ultimate Su Doku

			1		7			
5	7		9		6		2	8
		8				1		
8			7		9			1
		7		3		9		
3			6		5			2
		6				5		
4	1		5		8		6	9
			2		3			

Time taken to solve:

Mild

Time taken to solve:

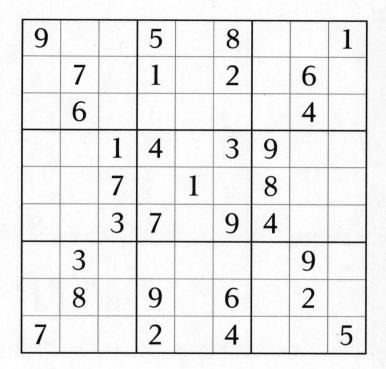

Time taken to solve:

Mild

Difficult

	9							
2	8	5	9		4		3	
			3			2		
7			4	1		8		
	1						4	
		4		9	5			1
		8			7			
	7		1		3	5	9	6
							7	

Time taken to solve:

Ultimate Su Doku

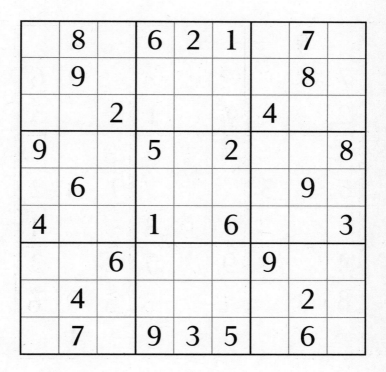

Time taken to solve:

Difficult

Time taken to solve:

Time taken to solve:

Difficult

Time taken to solve:

Time taken to solve:

Time taken to solve:

Time taken to solve:

Time taken to solve:

Time taken to solve:

Difficult

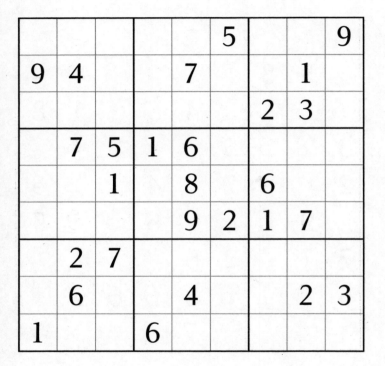

Time taken to solve:

Ultimate Su Doku

Time taken to solve:

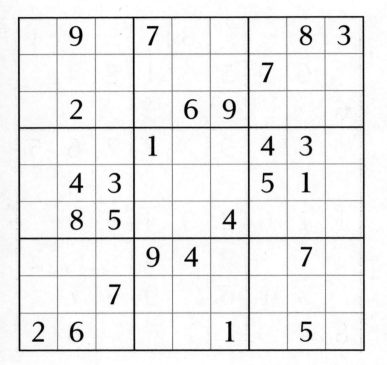

Time taken to solve:

						5		1
		8		6		2		
6			7		5			
				7	3		8	5
	8						4	
1	7		4	9				
			8		4			2
		3		2		7		
8		9						

Time taken to solve:

Difficult

Time taken to solve:

Time taken to solve:

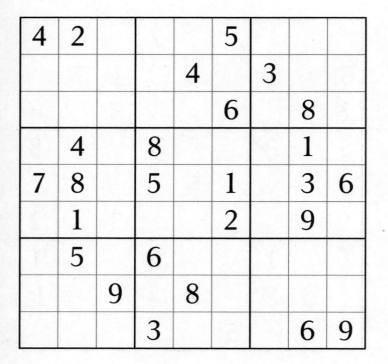

Time taken to solve:

				9				
	6	2		5		1	9	
8			1		7			6
1								8
		3	2		5	9		
9								2
5			3		9			1
	9	4		8		6	3	
				7				

Time taken to solve:

Difficult

Time taken to solve:

Ultimate Su Doku

			6	3	7			
	5	2				7	8	
		6				3		
9			7		5			3
				9				
6			2		3			4
		7				2		
	4	9				8	3	
			4	7	9			

Time taken to solve:

Difficult

Time taken to solve:

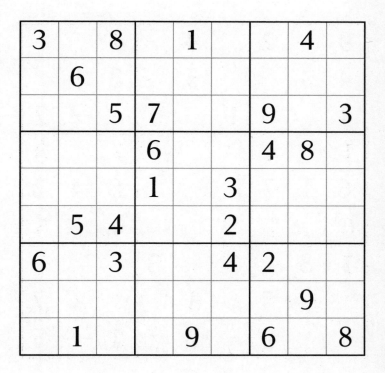

Time taken to solve:

Difficult

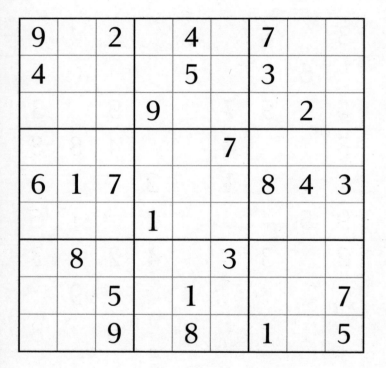

Time taken to solve:

Ultimate Su Doku

		1				8		
				6				
6		9	3		5	1		2
3	7						9	8
			9		2			
9	2						1	6
2		5	8		1	7		3
				3				
		3				6		

Time taken to solve:

Difficult

Time taken to solve:

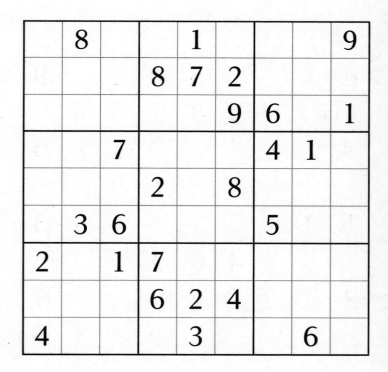

Time taken to solve:

Difficult

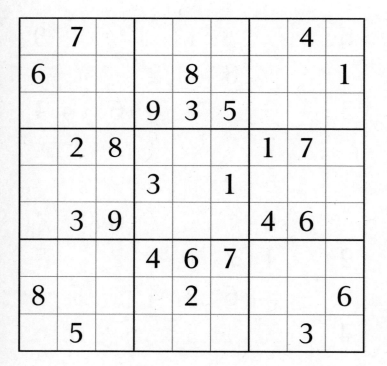

Time taken to solve:

6								8
			6		3			
5		3		8		7		4
	5	9		4		2		
	6					9		
	8	1		7		6		
9		4		1		8		5
			4		5			
7								6

Time taken to solve:

Difficult

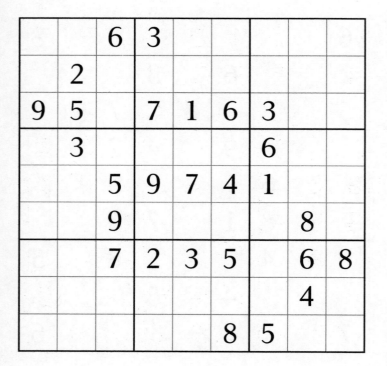

Time taken to solve:

			9	2			8	
4		8	3	6				
					4		5	
		5					6	8
8	2			4			9	7
3	9					1		
	8		4					
				5	6	8		2
	7			8	3			

Time taken to solve:

Difficult

3						4		
6		4			5	1		9
9		5		8			3	
5				7				
			8		6			
				1				5
	8			4		7		3
4		7	2			9		8
		3						2

Time taken to solve:

Ultimate Su Doku

94

Time taken to solve:

Difficult

7	6		4		1		5	9
			2	5	9			
6		2				3		4
	4						6	
3		1				7		5
			7	3	4			
5	3		8		6		1	7

Time taken to solve:

Ultimate Su Doku

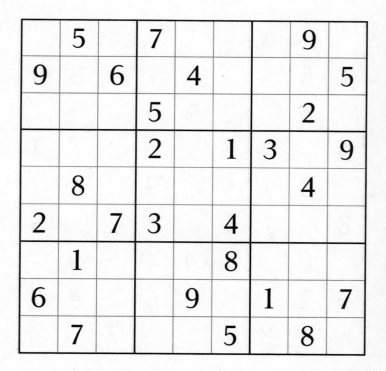

Time taken to solve:

Difficult

Time taken to solve:

98

Time taken to solve:

Difficult

3		8	1		4			
1				3	8			
		9			2	8		
						6		3
8		1				5		4
6		7						
		6	9			2		
			8	4				7
			7		5	9		6

Time taken to solve:

Ultimate Su Doku

		2	8					
		7				1		
9			7				4	
	9			6				3
3	4						8	5
8				3			2	
	5				6			4
		8				9		
					2	5		

Time taken to solve:

Difficult

Fiendish

Time taken to solve:

Time taken to solve:

Time taken to solve:

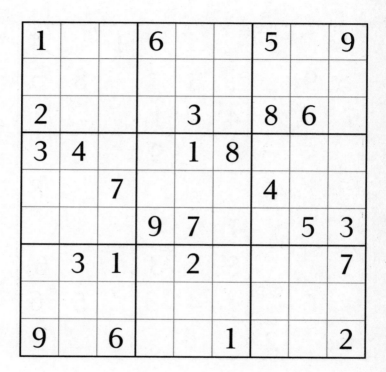

Time taken to solve:

Fiendish

Time taken to solve:

Ultimate Su Doku

106

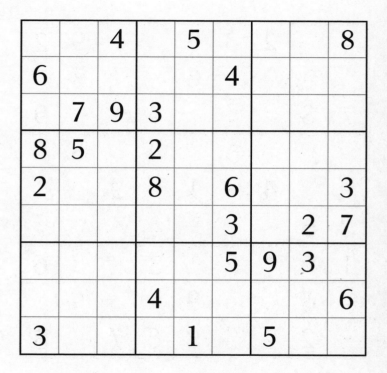

Time taken to solve:

Fiendish

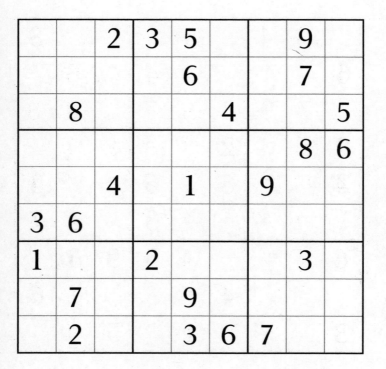

Time taken to solve:

Ultimate Su Doku

Time taken to solve:

Time taken to solve:

Time taken to solve:

Time taken to solve:

Time taken to solve:

			8					
3							8	
	9			6	5		3	
7			9					
6		5	7		1	3		2
					3			7
	8		4	1			5	
	2							4
					8			

Time taken to solve:

Ultimate Su Doku

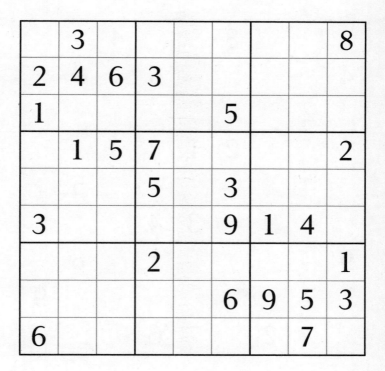

Time taken to solve:

Fiendish

Time taken to solve:

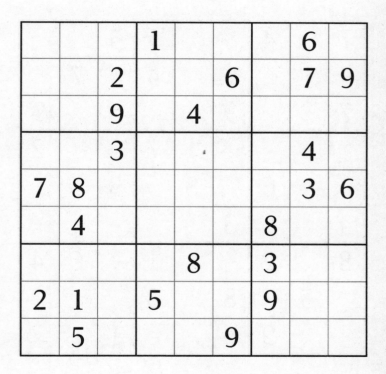

Time taken to solve:

		4			1	5		
			9		4		7	
7						6		9
					7			2
		6		8		9		
4			3					
8		2						4
	5		8		3			
		9	6			1		

Time taken to solve:

Ultimate Su Doku

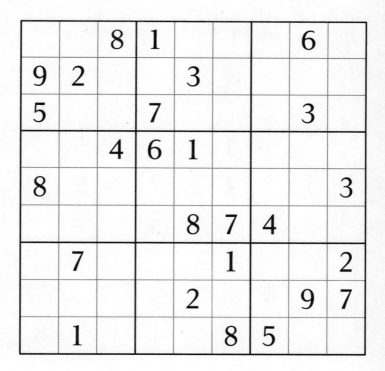

Time taken to solve:

Fiendish

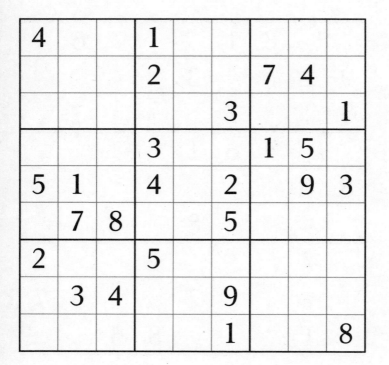

Time taken to solve:

Ultimate Su Doku

Time taken to solve:

Fiendish

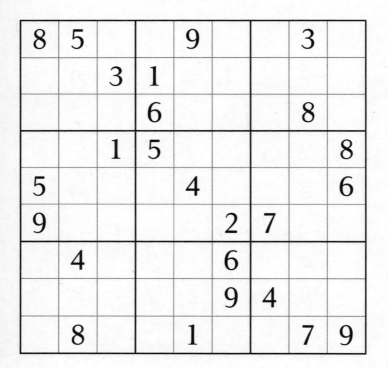

Time taken to solve:

Ultimate Su Doku

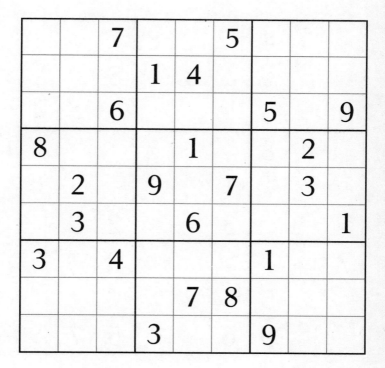

Time taken to solve:

Fiendish

Time taken to solve:

Time taken to solve:

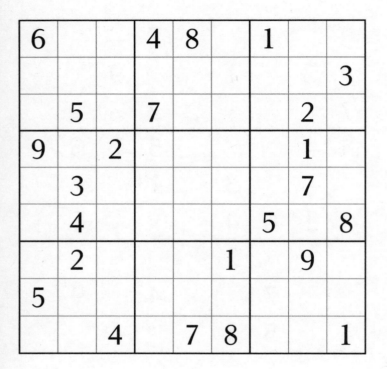

Time taken to solve:

Ultimate Su Doku

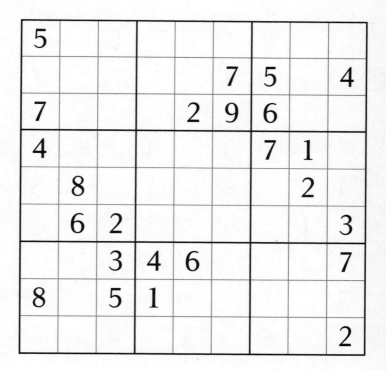

Time taken to solve:

Fiendish

Time taken to solve:

Time taken to solve:

Fiendish

Time taken to solve:

Ultimate Su Doku

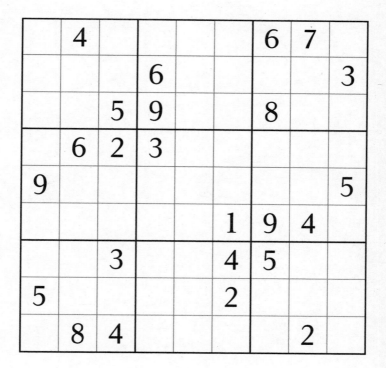

Time taken to solve:

Fiendish

Superior

Time taken to solve:

Ultimate Su Doku

Time taken to solve:

Time taken to solve:

Time taken to solve:

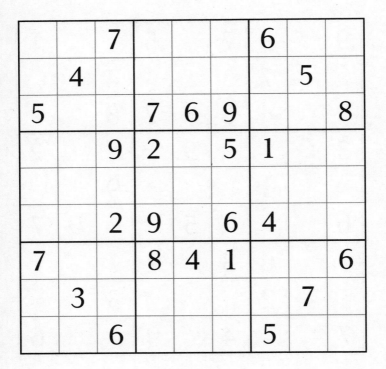

Time taken to solve:

Ultimate Su Doku

Time taken to solve:

Time taken to solve:

Time taken to solve:

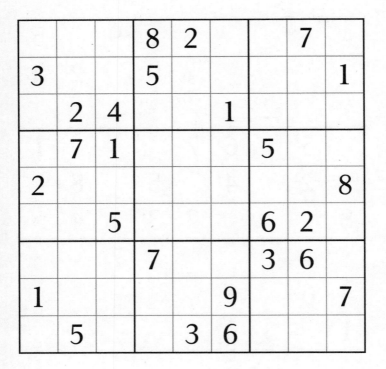

Time taken to solve:

140

Time taken to solve:

16 x 16

8			5	A	3	7						B		2	4
4				C		5	E		8			D			
		A	E		B			5			4		3		
9	D		7	1		4			B			C	5		E
		1		7	9		2	E			6	F		D	5
				1		B			A	D		E			0
	F		8			E			C			3		7	1
		4		D			5	0		7	1			C	
	8			3	D		A	F			7		B		
C	B		D			2			6			7		4	
A		F		8	4			B		E					
1	5		4	B			6	D		0	C		8		
B		C	1		6			E			0	5		F	7
		D		9			7			8		1	4		
			0		B		7	D			2				A
6	4		9					5	C	3	2				8

Time taken to solve:

Ultimate Su Doku

8	2	6			B			3					9	A	E
	3	7		5		6	8		E				2	0	
		E			1			B					F		
0	F		D			9	C					B		6	4
		C	1	A					3			8	B		
5	E		A	1		3	B	D	6		8	4		2	C
4	8				D		7	5		A				F	3
				E		8	4		9						
				F		1	2		C						
6	4			7		C	0		8					E	B
1	9		2	5		4	E	B	A		3	0		C	F
		5	7	8					F			1	A		
A	1		8			3	E					7		9	5
		B			E			9				1			
	5	2		0		D	7		1			C	B		
3	7	9			8			F					E	4	2

Time taken to solve:

16 x 16

E		5			0	9	3	2				A			
		4	3	A			8						2	5	
7	3	0		5			C	1			9		4	D	
	8				C	7			5		0		F		
0				C		4				6		9			
	9	E	C		F	6			2				7	D	
			E		5		1	B	F	4			0	C	
4					0		2	8			E		F	B	
	4	F		9			C	A		8					7
	7	6		F	B	4	8		D		C				
	5	9				3			4	6		C	2	1	
	A		D				2		0						3
	B		3		2			F	5				E		
A	E		7			0	F				8		1	9	B
6	0					7			E	2	3				
	8				D	E	3	7				F			6

Time taken to solve:

Ultimate Su Doku

	A	D								9	7		E		
	8	7	0	D			9		5		E				
	0			B						1			A		
C			6			4	B	F	0	A		2	D		5
			C	1	5			2	E		8		B		
8		C				7		5		3		A	1		
	2	5	3					9	C					4	6
B		0	F		A	3	8			D	4	1			
				9	4	D			3	1	8		B	E	A
D	E					2	5						6	3	F
	5		8		6		3		A				9		D
	9		8			0	1			B	D	5			
3	D	F		E	5	9	C	A				4			0
	1				3					5				8	
				1		B		E		C	3	9	D		
	C		0	D										B	3

Time taken to solve:

16 x 16

145

		2						1	0				9	3	B
	7		3	D	4		9	F			6			C	2
	6	E				2	1		B			A	4		
						9	2					0	F		
2		6			9			B		3	1		8	4	E
	9	1	C	B		3		2			E				
		1	F					0	C					6	D
8					E				6	9		A			
	D			A	2			9							3
F	5				7	8			2	0					
		9			B			7			D	F	5	A	
1	4	A		0	D		F		8				7		6
	5	F				0	8								
	2	E		A				7	C				3	F	
0	3		6			5	D	1	A	2			8		
A	D	4		B	C							7			

Time taken to solve:

146

		D	B			F	7			0		4	8		
		B	D	C		3	E		8	6					
3		7			4					D		2			9
4	C			3		E			7	B					5
	6	1			8	B		F	7		9		5		
A			8	5	2	4		C	9	E			7	F	
	9		0	7	E				8	1	2			4	C
	7														0
E													2		
9	5		D	F	7					A	3	C		E	
	1	B		E	5	8			D	2	C	0			A
	8		A		3	0			1	5			4	B	
7					1	3			5		A			0	6
8		A		4						E			D		7
			1	C		9	D			4	3	7			
		E	5		F			0	9			8	C		

Time taken to solve:

16 x 16

					9	0	3	C		4			E		
1	D						B			5	E		6	0	
		A	4										B		
9		7	4				B	2					5		1
8		2		D	5					F	A				
					4			7					2		
	E		7	2		1				5	0	3	C	8	6
	0			F		A	2	C		4	E				5
D		B	1		E	7	9		A				6		
F	1	E	6	0	B			3		7	2		9		
	9					4			2						
		2	C					8	B			3			F
C		3			7	6					8	F			9
	2										1	6			
	6	1		8	E			F						A	4
		5			D		F	A	6	7					

Time taken to solve:

Ultimate Su Doku

	0			2	D	E	8	6	4				F		
8	2	F			3			5					9	1	E
9			4									B			6
				4	C	9	0	3	1						
B	7			1	9					E	5			D	2
	5	0	3	6	7					F	D	A	E	9	
F						D	6								5
D				E	5	A	C								7
5				A	8	9	7								0
4				6	E										9
	A	9	C	5	3			D	2	8	6	B			
7	B			E	C			6	A					3	1
				E	7	C	B	F	8						
3			B									2			A
0	8	7			B			4					1	E	F
	C			8	F	2	D	A	5				6		

Time taken to solve:

149

D	F			8				2							E
	B			1	0				A	D				8	6
			4		2			F	9	1	8	5			
		2	1	9		6		7		3		C	0		
	E	3					1	D		4		6		0	5
	C	5	8	A									7	1	
		A			D	6		7			3				
F		1	9	7			0	3	B		5				
			5		B	8	6			0	7	3		1	
			A			F		1	3				4		
	5	6								9	D	B	F		
8	2		0		6			4	B				A	5	
		4	F		8		2		1		3	B	9		
			6	4	B	5	3			9		8			
2	3				C	1					F	B			E
C							F				2			3	A

Time taken to solve:

4	A			6						D	8				0
		3	E	0					F	6	9	5	A		7
	C				F	9	4		C	A			E		
	0		6					C				4		2	
7	F	C		B			0	D	6		3			1	9
8	9						D		7						
	B		D	A	7	1	3		5				E		
		5		E					4	C	B		7		
		7		9	D	E					6		2		
		B				5		C	D	3	1	F		A	
					B		E							C	6
5	E			F		A	C	0			7		1	B	D
	4		1			0						2		F	
	5			D		2	8	3						7	
E		6	0	1	5	4						C	8	D	
F				C	3							D		4	5

Time taken to solve:

Solutions

1

5	6	1	2	3	4
2	3	4	5	6	1
3	1	6	4	5	2
4	2	5	6	1	3
1	5	2	3	4	6
6	4	3	1	2	5

2

1	5	2	3	6	4
3	2	4	6	5	1
6	4	5	1	3	2
2	3	6	4	1	5
5	1	3	2	4	6
4	6	1	5	2	3

Ultimate Su Doku

3

4	1	2	3	6	5
2	6	5	1	3	4
5	3	6	4	1	2
3	2	4	6	5	1
6	5	1	2	4	3
1	4	3	5	2	6

4

3	5	2	1	4	6
2	1	6	4	3	5
6	4	3	5	2	1
5	2	4	6	1	3
1	3	5	2	6	4
4	6	1	3	5	2

5

2	6	1	3	5	4
5	3	4	2	6	1
4	1	5	6	2	3
3	2	6	1	4	5
6	4	3	5	1	2
1	5	2	4	3	6

6

3	2	6	4	1	5
5	4	1	6	2	3
6	3	4	2	5	1
1	5	2	3	4	6
2	6	5	1	3	4
4	1	3	5	6	2

Ultimate Su Doku

7

5	6	2	3	1	4
3	4	1	5	6	2
1	3	5	2	4	6
6	2	4	1	3	5
4	5	3	6	2	1
2	1	6	4	5	3

8

6	5	1	2	4	3
4	3	5	6	2	1
1	2	3	4	5	6
5	4	6	1	3	2
3	1	2	5	6	4
2	6	4	3	1	5

Solutions

9

2	6	3	5	1	4
5	1	2	4	6	3
4	3	1	6	2	5
1	2	5	3	4	6
3	4	6	2	5	1
6	5	4	1	3	2

10

6	2	4	5	3	1
1	4	6	3	5	2
3	5	1	2	4	6
2	3	5	1	6	4
4	1	3	6	2	5
5	6	2	4	1	3

Ultimate Su Doku

11

6	9	8	2	5	7	1	3	4
5	4	2	3	6	1	9	8	7
7	1	3	9	4	8	6	5	2
9	5	4	7	8	2	3	1	6
2	8	6	4	1	3	7	9	5
3	7	1	5	9	6	2	4	8
8	2	9	6	3	4	5	7	1
1	3	7	8	2	5	4	6	9
4	6	5	1	7	9	8	2	3

12

8	9	6	7	5	1	4	2	3
5	4	1	3	8	2	7	6	9
2	3	7	4	6	9	1	8	5
7	5	3	6	1	8	2	9	4
6	8	4	9	2	3	5	7	1
9	1	2	5	4	7	6	3	8
4	7	9	1	3	6	8	5	2
3	2	5	8	7	4	9	1	6
1	6	8	2	9	5	3	4	7

Solutions

13

5	9	2	7	8	3	6	4	1
8	3	4	6	5	1	7	9	2
6	1	7	2	9	4	8	3	5
7	4	5	9	6	8	2	1	3
3	2	9	4	1	7	5	6	8
1	6	8	5	3	2	4	7	9
9	8	6	1	4	5	3	2	7
4	7	3	8	2	9	1	5	6
2	5	1	3	7	6	9	8	4

14

2	5	6	9	1	3	8	4	7
1	9	3	4	7	8	6	2	5
4	7	8	6	5	2	1	9	3
3	1	9	2	8	5	7	6	4
6	2	4	7	3	9	5	8	1
5	8	7	1	6	4	9	3	2
9	3	1	8	2	7	4	5	6
8	6	5	3	4	1	2	7	9
7	4	2	5	9	6	3	1	8

Ultimate Su Doku

15

3	4	8	9	5	2	6	7	1
7	5	6	8	4	1	2	9	3
1	9	2	3	6	7	8	4	5
9	8	5	1	7	3	4	2	6
6	3	4	2	8	5	7	1	9
2	1	7	6	9	4	5	3	8
4	2	9	5	1	6	3	8	7
8	6	3	7	2	9	1	5	4
5	7	1	4	3	8	9	6	2

16

8	2	1	7	3	6	5	9	4
9	6	5	4	1	2	3	8	7
4	3	7	5	9	8	2	6	1
1	9	3	8	7	4	6	5	2
5	8	2	3	6	1	4	7	9
6	7	4	2	5	9	8	1	3
7	5	6	1	4	3	9	2	8
2	4	9	6	8	7	1	3	5
3	1	8	9	2	5	7	4	6

Solutions

17

1	5	6	7	8	4	9	2	3
2	4	9	3	6	1	8	5	7
8	7	3	5	9	2	1	4	6
9	2	4	6	5	3	7	8	1
3	6	8	4	1	7	5	9	2
7	1	5	8	2	9	6	3	4
4	9	2	1	7	5	3	6	8
5	8	1	2	3	6	4	7	9
6	3	7	9	4	8	2	1	5

18

1	8	6	7	4	5	2	9	3
5	3	9	1	8	2	7	6	4
4	2	7	9	6	3	5	1	8
2	1	5	4	9	8	6	3	7
6	4	3	2	1	7	9	8	5
9	7	8	5	3	6	1	4	2
8	9	2	3	5	1	4	7	6
3	5	4	6	7	9	8	2	1
7	6	1	8	2	4	3	5	9

Ultimate Su Doku

19

1	3	2	5	7	6	9	8	4
4	5	7	3	9	8	2	6	1
8	6	9	4	2	1	3	7	5
3	2	1	9	6	5	8	4	7
7	4	5	2	8	3	1	9	6
9	8	6	1	4	7	5	3	2
6	7	3	8	1	2	4	5	9
5	1	4	7	3	9	6	2	8
2	9	8	6	5	4	7	1	3

20

2	8	9	5	3	6	4	7	1
3	5	4	2	7	1	6	8	9
1	7	6	9	4	8	3	2	5
6	2	1	8	5	4	9	3	7
4	9	5	3	6	7	8	1	2
7	3	8	1	2	9	5	6	4
8	1	7	4	9	3	2	5	6
5	4	3	6	1	2	7	9	8
9	6	2	7	8	5	1	4	3

Solutions

21

6	4	9	3	8	1	5	2	7
7	2	1	6	9	5	4	3	8
5	3	8	2	7	4	9	1	6
2	6	7	9	4	8	1	5	3
9	5	4	1	3	7	8	6	2
1	8	3	5	6	2	7	4	9
8	7	5	4	2	3	6	9	1
4	9	2	7	1	6	3	8	5
3	1	6	8	5	9	2	7	4

22

9	1	3	8	5	2	6	7	4
7	5	4	6	3	9	1	2	8
6	2	8	7	1	4	3	9	5
5	8	1	9	2	3	7	4	6
4	6	7	5	8	1	9	3	2
2	3	9	4	6	7	5	8	1
8	4	5	3	7	6	2	1	9
3	9	2	1	4	5	8	6	7
1	7	6	2	9	8	4	5	3

Ultimate Su Doku

23

4	5	7	8	3	2	9	6	1
9	2	8	1	7	6	3	4	5
1	6	3	9	4	5	7	8	2
7	3	1	5	8	9	6	2	4
8	9	2	3	6	4	1	5	7
5	4	6	7	2	1	8	3	9
3	7	5	2	9	8	4	1	6
2	8	4	6	1	7	5	9	3
6	1	9	4	5	3	2	7	8

24

3	8	4	6	2	5	9	7	1
9	6	5	7	3	1	8	4	2
2	7	1	4	8	9	6	5	3
1	3	8	2	4	6	5	9	7
4	9	2	1	5	7	3	6	8
7	5	6	8	9	3	2	1	4
5	4	7	3	6	2	1	8	9
6	1	3	9	7	8	4	2	5
8	2	9	5	1	4	7	3	6

Solutions

25

3	7	8	9	2	5	1	4	6
4	9	2	3	1	6	5	7	8
5	6	1	8	7	4	9	2	3
6	2	9	7	8	1	3	5	4
1	8	5	4	3	9	7	6	2
7	3	4	6	5	2	8	9	1
9	4	3	1	6	7	2	8	5
8	5	6	2	9	3	4	1	7
2	1	7	5	4	8	6	3	9

26

5	7	9	6	3	2	8	4	1
4	2	3	1	8	7	9	5	6
8	1	6	4	5	9	3	2	7
9	3	8	7	1	5	2	6	4
6	4	7	3	2	8	1	9	5
1	5	2	9	6	4	7	8	3
7	6	4	8	9	3	5	1	2
2	8	1	5	7	6	4	3	9
3	9	5	2	4	1	6	7	8

27

4	1	6	9	7	3	8	5	2
9	8	2	4	1	5	6	7	3
3	5	7	8	2	6	9	1	4
8	9	4	1	3	7	2	6	5
1	6	3	2	5	8	7	4	9
7	2	5	6	4	9	1	3	8
2	3	8	7	6	4	5	9	1
5	7	9	3	8	1	4	2	6
6	4	1	5	9	2	3	8	7

28

2	9	6	5	7	1	4	3	8
1	8	4	2	9	3	7	6	5
3	7	5	4	8	6	1	9	2
4	6	9	1	3	2	5	8	7
8	3	2	7	6	5	9	4	1
5	1	7	8	4	9	3	2	6
9	4	8	6	5	7	2	1	3
7	2	3	9	1	8	6	5	4
6	5	1	3	2	4	8	7	9

29

9	1	4	6	7	5	2	8	3
3	7	6	4	8	2	9	1	5
5	2	8	1	3	9	6	4	7
8	3	5	2	4	1	7	6	9
1	4	9	5	6	7	8	3	2
7	6	2	3	9	8	4	5	1
2	8	3	9	1	4	5	7	6
6	5	7	8	2	3	1	9	4
4	9	1	7	5	6	3	2	8

30

4	5	7	3	8	9	2	1	6
1	6	9	2	4	7	8	3	5
8	3	2	5	6	1	4	9	7
2	8	3	6	7	5	9	4	1
9	4	5	8	1	3	6	7	2
7	1	6	4	9	2	3	5	8
6	2	1	9	5	4	7	8	3
3	7	4	1	2	8	5	6	9
5	9	8	7	3	6	1	2	4

31

5	7	1	3	6	4	8	9	2
2	3	8	9	1	7	5	4	6
6	9	4	2	5	8	3	7	1
8	4	5	6	3	2	9	1	7
1	6	7	5	4	9	2	3	8
9	2	3	8	7	1	6	5	4
3	1	9	7	8	6	4	2	5
7	5	6	4	2	3	1	8	9
4	8	2	1	9	5	7	6	3

32

4	3	1	9	2	6	7	5	8
2	6	9	7	5	8	4	1	3
5	8	7	1	4	3	9	2	6
3	5	6	8	1	9	2	7	4
8	1	4	6	7	2	3	9	5
7	9	2	4	3	5	8	6	1
9	2	5	3	8	1	6	4	7
1	7	8	2	6	4	5	3	9
6	4	3	5	9	7	1	8	2

33

3	1	4	2	5	8	9	7	6
6	8	7	1	3	9	5	4	2
9	2	5	4	7	6	1	8	3
7	6	3	9	1	2	4	5	8
4	9	2	5	8	7	3	6	1
1	5	8	3	6	4	7	2	9
8	7	9	6	4	3	2	1	5
5	3	6	7	2	1	8	9	4
2	4	1	8	9	5	6	3	7

34

8	1	3	7	6	9	5	2	4
7	5	9	1	4	2	6	8	3
2	4	6	5	8	3	1	7	9
6	7	5	2	1	4	3	9	8
4	3	1	9	7	8	2	5	6
9	8	2	6	3	5	4	1	7
5	9	7	4	2	6	8	3	1
3	2	4	8	9	1	7	6	5
1	6	8	3	5	7	9	4	2

35

3	1	5	6	9	7	2	8	4
8	4	6	5	1	2	7	3	9
7	9	2	4	3	8	5	1	6
9	8	1	7	5	3	4	6	2
2	6	7	9	4	1	8	5	3
5	3	4	2	8	6	9	7	1
1	2	3	8	7	9	6	4	5
6	5	8	3	2	4	1	9	7
4	7	9	1	6	5	3	2	8

36

1	8	9	7	5	6	3	4	2
6	5	3	1	2	4	8	7	9
7	2	4	9	8	3	5	6	1
4	3	5	2	1	7	9	8	6
9	1	6	4	3	8	2	5	7
2	7	8	6	9	5	4	1	3
8	4	1	3	7	2	6	9	5
3	6	7	5	4	9	1	2	8
5	9	2	8	6	1	7	3	4

37

3	2	7	9	6	4	8	5	1
5	8	6	1	2	3	9	7	4
4	1	9	8	5	7	3	6	2
9	3	1	2	4	6	5	8	7
7	6	2	3	8	5	1	4	9
8	5	4	7	9	1	6	2	3
6	7	5	4	1	9	2	3	8
2	9	3	5	7	8	4	1	6
1	4	8	6	3	2	7	9	5

38

9	4	5	1	2	8	7	6	3
6	1	8	5	3	7	9	2	4
3	7	2	4	6	9	5	1	8
5	6	1	7	8	2	4	3	9
7	3	4	6	9	5	1	8	2
2	8	9	3	1	4	6	5	7
1	5	7	2	4	3	8	9	6
8	2	6	9	7	1	3	4	5
4	9	3	8	5	6	2	7	1

39

2	9	4	8	3	5	1	6	7
7	5	3	2	6	1	4	9	8
6	1	8	9	4	7	5	2	3
9	7	1	4	2	8	3	5	6
8	4	2	6	5	3	7	1	9
3	6	5	1	7	9	2	8	4
5	2	7	3	9	6	8	4	1
4	8	6	7	1	2	9	3	5
1	3	9	5	8	4	6	7	2

40

8	3	1	7	2	9	6	4	5
2	7	9	5	6	4	3	1	8
4	5	6	8	3	1	7	9	2
9	1	5	3	8	7	4	2	6
6	4	3	2	1	5	9	8	7
7	2	8	4	9	6	1	5	3
3	6	2	9	4	8	5	7	1
5	8	4	1	7	3	2	6	9
1	9	7	6	5	2	8	3	4

41

4	1	7	2	6	9	5	3	8
8	3	6	7	1	5	2	9	4
5	2	9	3	4	8	7	1	6
2	5	1	6	7	4	9	8	3
7	8	3	5	9	1	6	4	2
6	9	4	8	2	3	1	5	7
1	4	2	9	3	7	8	6	5
3	7	8	1	5	6	4	2	9
9	6	5	4	8	2	3	7	1

42

7	8	4	5	2	3	9	6	1
3	1	2	9	6	8	4	5	7
5	6	9	7	1	4	2	8	3
9	2	5	3	4	7	6	1	8
4	7	8	6	5	1	3	9	2
1	3	6	2	8	9	7	4	5
2	5	3	1	9	6	8	7	4
8	9	1	4	7	2	5	3	6
6	4	7	8	3	5	1	2	9

43

7	2	5	3	1	9	4	6	8
3	1	8	6	5	4	7	9	2
4	9	6	7	2	8	3	5	1
2	6	1	4	7	5	8	3	9
8	3	9	2	6	1	5	4	7
5	7	4	9	8	3	1	2	6
9	5	7	1	4	2	6	8	3
1	4	2	8	3	6	9	7	5
6	8	3	5	9	7	2	1	4

44

8	3	7	6	4	1	9	5	2
5	2	6	8	3	9	1	4	7
9	4	1	2	5	7	3	6	8
1	6	3	4	8	5	2	7	9
4	5	9	3	7	2	6	8	1
2	7	8	1	9	6	4	3	5
3	8	5	9	2	4	7	1	6
7	1	2	5	6	3	8	9	4
6	9	4	7	1	8	5	2	3

45

4	8	1	7	2	3	5	9	6
7	2	6	5	8	9	3	4	1
9	5	3	1	4	6	7	8	2
8	4	7	6	3	5	1	2	9
2	1	5	8	9	7	6	3	4
6	3	9	2	1	4	8	7	5
5	6	2	9	7	8	4	1	3
3	9	8	4	6	1	2	5	7
1	7	4	3	5	2	9	6	8

46

7	2	8	3	5	9	1	4	6
4	1	9	6	2	8	7	5	3
3	6	5	4	1	7	9	8	2
1	9	3	2	8	4	6	7	5
6	7	4	5	3	1	8	2	9
8	5	2	7	9	6	3	1	4
2	4	7	1	6	3	5	9	8
9	3	1	8	4	5	2	6	7
5	8	6	9	7	2	4	3	1

47

7	4	6	9	3	5	2	8	1
2	8	1	6	7	4	9	3	5
5	3	9	1	8	2	7	6	4
4	1	3	7	2	6	5	9	8
9	6	5	3	4	8	1	7	2
8	2	7	5	9	1	6	4	3
1	7	2	4	6	3	8	5	9
3	9	8	2	5	7	4	1	6
6	5	4	8	1	9	3	2	7

48

4	8	2	6	1	7	5	3	9
7	3	1	5	2	9	8	6	4
6	5	9	4	3	8	1	2	7
3	1	5	7	4	2	9	8	6
2	9	6	1	8	5	7	4	3
8	7	4	9	6	3	2	1	5
9	2	3	8	7	4	6	5	1
5	6	8	3	9	1	4	7	2
1	4	7	2	5	6	3	9	8

49

6	9	7	1	3	4	2	8	5
3	2	1	9	8	5	7	4	6
5	8	4	7	2	6	1	3	9
8	7	3	5	6	2	4	9	1
4	1	6	3	9	8	5	7	2
9	5	2	4	1	7	3	6	8
1	3	8	2	4	9	6	5	7
7	4	9	6	5	1	8	2	3
2	6	5	8	7	3	9	1	4

50

1	8	3	2	5	9	4	6	7
4	9	5	6	8	7	2	1	3
6	7	2	4	1	3	9	8	5
8	1	4	5	9	2	3	7	6
5	6	7	1	3	4	8	2	9
3	2	9	7	6	8	1	5	4
2	3	6	9	7	1	5	4	8
9	5	1	8	4	6	7	3	2
7	4	8	3	2	5	6	9	1

51

1	2	7	4	6	5	8	3	9
5	6	3	2	9	8	1	7	4
8	4	9	1	7	3	6	5	2
3	1	4	7	5	2	9	6	8
7	9	5	6	8	4	3	2	1
6	8	2	9	3	1	7	4	5
2	3	8	5	1	7	4	9	6
4	7	6	8	2	9	5	1	3
9	5	1	3	4	6	2	8	7

52

1	2	5	3	7	8	4	9	6
7	6	9	5	4	1	2	3	8
4	3	8	2	9	6	1	5	7
8	7	6	1	5	9	3	2	4
2	1	3	8	6	4	9	7	5
9	5	4	7	2	3	6	8	1
3	8	2	4	1	5	7	6	9
5	9	1	6	3	7	8	4	2
6	4	7	9	8	2	5	1	3

Solutions

53

6	8	7	4	5	9	3	1	2
3	1	2	8	7	6	4	5	9
9	4	5	2	3	1	8	7	6
5	3	1	6	9	2	7	8	4
7	9	6	3	8	4	5	2	1
8	2	4	7	1	5	6	9	3
2	7	8	1	6	3	9	4	5
1	5	3	9	4	8	2	6	7
4	6	9	5	2	7	1	3	8

54

6	3	4	8	1	2	9	7	5
7	9	1	4	3	5	8	2	6
5	2	8	9	7	6	3	4	1
2	7	6	1	5	3	4	9	8
8	5	9	7	2	4	6	1	3
4	1	3	6	9	8	2	5	7
1	6	7	2	8	9	5	3	4
3	8	2	5	4	1	7	6	9
9	4	5	3	6	7	1	8	2

55

9	6	4	8	7	1	2	5	3
3	1	7	2	9	5	6	8	4
8	5	2	4	3	6	7	9	1
7	9	3	5	6	4	8	1	2
5	4	1	7	8	2	9	3	6
2	8	6	3	1	9	4	7	5
6	3	9	1	2	7	5	4	8
4	2	8	9	5	3	1	6	7
1	7	5	6	4	8	3	2	9

56

8	2	7	9	4	3	5	1	6
3	9	4	6	5	1	8	7	2
5	1	6	7	2	8	9	4	3
1	4	5	2	3	7	6	9	8
7	3	9	4	8	6	1	2	5
2	6	8	1	9	5	7	3	4
9	5	2	8	1	4	3	6	7
6	8	1	3	7	2	4	5	9
4	7	3	5	6	9	2	8	1

57

7	4	6	2	3	1	8	5	9
2	9	5	7	8	4	6	1	3
8	3	1	6	9	5	4	7	2
1	2	9	4	5	7	3	8	6
5	7	8	9	6	3	1	2	4
3	6	4	1	2	8	5	9	7
4	1	2	5	7	6	9	3	8
9	5	3	8	4	2	7	6	1
6	8	7	3	1	9	2	4	5

58

9	3	2	1	8	7	6	4	5
5	7	1	9	4	6	3	2	8
6	4	8	3	5	2	1	9	7
8	6	5	7	2	9	4	3	1
1	2	7	8	3	4	9	5	6
3	9	4	6	1	5	7	8	2
2	8	6	4	9	1	5	7	3
4	1	3	5	7	8	2	6	9
7	5	9	2	6	3	8	1	4

59

5	4	8	7	2	6	3	1	9
3	7	1	5	8	9	2	6	4
2	9	6	3	4	1	8	5	7
1	2	3	8	6	7	9	4	5
7	8	4	2	9	5	1	3	6
6	5	9	4	1	3	7	2	8
9	1	5	6	3	8	4	7	2
4	3	7	9	5	2	6	8	1
8	6	2	1	7	4	5	9	3

60

9	4	2	5	6	8	3	7	1
3	7	8	1	4	2	5	6	9
1	6	5	3	9	7	2	4	8
6	2	1	4	8	3	9	5	7
4	9	7	6	1	5	8	3	2
8	5	3	7	2	9	4	1	6
2	3	6	8	5	1	7	9	4
5	8	4	9	7	6	1	2	3
7	1	9	2	3	4	6	8	5

Solutions

61

1	9	3	2	7	8	6	5	4
2	8	5	9	6	4	1	3	7
6	4	7	3	5	1	2	8	9
7	5	9	4	1	6	8	2	3
8	1	6	7	3	2	9	4	5
3	2	4	8	9	5	7	6	1
9	6	8	5	4	7	3	1	2
4	7	2	1	8	3	5	9	6
5	3	1	6	2	9	4	7	8

62

5	8	4	6	2	1	3	7	9
1	9	7	4	5	3	2	8	6
6	3	2	7	8	9	4	1	5
9	1	3	5	7	2	6	4	8
7	6	5	3	4	8	1	9	2
4	2	8	1	9	6	7	5	3
8	5	6	2	1	4	9	3	7
3	4	9	8	6	7	5	2	1
2	7	1	9	3	5	8	6	4

Ultimate Su Doku

63

6	3	4	8	5	9	7	2	1
7	5	1	2	4	3	8	9	6
2	8	9	7	6	1	4	3	5
1	6	8	4	2	5	3	7	9
5	4	3	6	9	7	1	8	2
9	2	7	1	3	8	5	6	4
4	7	5	9	8	6	2	1	3
8	9	2	3	1	4	6	5	7
3	1	6	5	7	2	9	4	8

64

6	8	7	9	2	5	4	1	3
5	1	2	4	6	3	9	7	8
9	4	3	7	1	8	6	5	2
7	9	5	8	3	2	1	6	4
4	3	8	6	7	1	5	2	9
1	2	6	5	4	9	3	8	7
3	7	1	2	9	6	8	4	5
2	5	9	1	8	4	7	3	6
8	6	4	3	5	7	2	9	1

65

6	1	7	5	3	4	2	9	8
3	9	2	8	1	6	7	5	4
5	4	8	2	7	9	1	3	6
7	5	1	6	4	2	9	8	3
9	3	6	1	5	8	4	2	7
8	2	4	3	9	7	6	1	5
2	7	3	4	8	1	5	6	9
1	8	9	7	6	5	3	4	2
4	6	5	9	2	3	8	7	1

66

6	9	8	7	3	2	5	4	1
2	4	1	9	6	5	7	3	8
3	5	7	1	8	4	9	6	2
8	7	6	2	1	9	4	5	3
9	3	5	4	7	8	2	1	6
4	1	2	6	5	3	8	9	7
7	8	9	3	4	1	6	2	5
5	2	3	8	9	6	1	7	4
1	6	4	5	2	7	3	8	9

Ultimate Su Doku

67

2	7	6	3	1	4	9	8	5
3	4	1	8	5	9	2	7	6
9	5	8	6	2	7	1	3	4
6	1	7	5	9	8	4	2	3
4	8	3	7	6	2	5	1	9
5	9	2	1	4	3	8	6	7
1	2	4	9	3	6	7	5	8
7	3	9	2	8	5	6	4	1
8	6	5	4	7	1	3	9	2

68

8	3	5	4	1	6	9	7	2
4	1	7	9	2	3	8	5	6
9	6	2	5	7	8	1	4	3
1	5	8	6	4	2	7	3	9
6	7	9	1	3	5	4	2	8
3	2	4	8	9	7	5	6	1
7	8	3	2	5	1	6	9	4
5	9	1	3	6	4	2	8	7
2	4	6	7	8	9	3	1	5

69

2	9	8	1	5	3	6	4	7
1	4	7	9	2	6	8	3	5
3	5	6	8	4	7	2	1	9
6	7	4	3	8	5	1	9	2
8	1	5	4	9	2	7	6	3
9	3	2	6	7	1	5	8	4
5	8	9	7	6	4	3	2	1
7	6	3	2	1	9	4	5	8
4	2	1	5	3	8	9	7	6

70

1	4	3	8	7	9	5	6	2
9	5	8	6	1	2	7	3	4
6	7	2	3	4	5	9	1	8
3	6	1	5	9	8	2	4	7
2	8	5	7	3	4	1	9	6
4	9	7	1	2	6	3	8	5
7	1	4	2	6	3	8	5	9
5	3	9	4	8	7	6	2	1
8	2	6	9	5	1	4	7	3

71

6	1	2	4	3	5	7	8	9
9	4	3	2	7	8	5	1	6
7	5	8	9	1	6	2	3	4
8	7	5	1	6	4	3	9	2
2	9	1	3	8	7	6	4	5
4	3	6	5	9	2	1	7	8
3	2	7	8	5	9	4	6	1
5	6	9	7	4	1	8	2	3
1	8	4	6	2	3	9	5	7

72

2	5	4	7	8	6	9	1	3
3	6	9	5	2	1	8	4	7
1	7	8	4	9	3	6	2	5
4	8	5	9	3	7	2	6	1
9	2	3	1	6	8	7	5	4
7	1	6	2	5	4	3	9	8
5	9	7	8	1	2	4	3	6
8	3	1	6	4	9	5	7	2
6	4	2	3	7	5	1	8	9

Solutions

73

5	9	4	7	1	2	6	8	3
3	1	6	4	5	8	7	2	9
7	2	8	3	6	9	1	4	5
6	7	2	1	9	5	4	3	8
9	4	3	6	8	7	5	1	2
1	8	5	2	3	4	9	6	7
8	5	1	9	4	3	2	7	6
4	3	7	5	2	6	8	9	1
2	6	9	8	7	1	3	5	4

74

4	3	7	2	8	9	5	6	1
9	5	8	3	6	1	2	7	4
6	1	2	7	4	5	8	3	9
2	9	4	6	7	3	1	8	5
3	8	6	5	1	2	9	4	7
1	7	5	4	9	8	6	2	3
7	6	1	8	5	4	3	9	2
5	4	3	9	2	6	7	1	8
8	2	9	1	3	7	4	5	6

75

1	2	4	8	6	3	5	9	7
9	7	6	1	4	5	8	2	3
3	5	8	9	2	7	1	6	4
8	3	2	5	7	1	9	4	6
7	4	1	3	9	6	2	5	8
5	6	9	2	8	4	3	7	1
2	9	7	4	1	8	6	3	5
6	8	3	7	5	2	4	1	9
4	1	5	6	3	9	7	8	2

76

3	8	4	2	1	7	9	6	5
6	9	5	3	4	8	1	7	2
2	1	7	6	9	5	8	3	4
1	5	3	9	6	4	2	8	7
8	6	9	7	5	2	4	1	3
7	4	2	1	8	3	5	9	6
4	7	1	8	2	6	3	5	9
5	3	8	4	7	9	6	2	1
9	2	6	5	3	1	7	4	8

Solutions

77

4	2	8	9	3	5	6	7	1
1	9	6	7	4	8	3	5	2
5	3	7	1	2	6	9	8	4
9	4	5	8	6	3	2	1	7
7	8	2	5	9	1	4	3	6
6	1	3	4	7	2	5	9	8
8	5	4	6	1	9	7	2	3
3	6	9	2	8	7	1	4	5
2	7	1	3	5	4	8	6	9

78

4	3	1	6	9	2	7	8	5
7	6	2	8	5	4	1	9	3
8	5	9	1	3	7	4	2	6
1	2	7	9	4	3	5	6	8
6	8	3	2	1	5	9	7	4
9	4	5	7	6	8	3	1	2
5	7	6	3	2	9	8	4	1
2	9	4	5	8	1	6	3	7
3	1	8	4	7	6	2	5	9

Ultimate Su Doku

79

3	7	2	4	5	6	1	9	8
1	8	9	2	7	3	4	6	5
6	5	4	9	1	8	7	2	3
2	6	7	3	9	1	8	5	4
5	9	3	7	8	4	2	1	6
4	1	8	6	2	5	3	7	9
9	2	6	8	4	7	5	3	1
7	4	1	5	3	9	6	8	2
8	3	5	1	6	2	9	4	7

80

8	9	1	6	3	7	4	5	2
3	5	2	9	4	1	7	8	6
4	7	6	8	5	2	3	9	1
9	8	4	7	6	5	1	2	3
7	2	3	1	9	4	5	6	8
6	1	5	2	8	3	9	7	4
5	6	7	3	1	8	2	4	9
1	4	9	5	2	6	8	3	7
2	3	8	4	7	9	6	1	5

81

9	4	8	7	1	2	5	3	6
6	3	7	5	8	9	4	1	2
1	5	2	3	6	4	8	7	9
4	9	3	2	7	6	1	5	8
2	8	6	1	4	5	3	9	7
7	1	5	9	3	8	6	2	4
5	7	4	8	9	1	2	6	3
8	2	9	6	5	3	7	4	1
3	6	1	4	2	7	9	8	5

82

5	4	1	3	9	6	8	2	7
8	2	9	1	7	4	3	6	5
3	6	7	5	2	8	9	1	4
1	8	3	6	4	2	5	7	9
9	5	2	7	8	1	4	3	6
6	7	4	9	5	3	1	8	2
7	3	6	4	1	9	2	5	8
4	1	8	2	6	5	7	9	3
2	9	5	8	3	7	6	4	1

Ultimate Su Doku

83

2	1	9	7	8	3	4	5	6
8	7	6	4	5	2	3	1	9
3	4	5	1	9	6	8	7	2
1	5	4	6	2	9	7	3	8
9	8	2	5	3	7	1	6	4
6	3	7	8	1	4	9	2	5
7	6	8	3	4	5	2	9	1
4	9	3	2	6	1	5	8	7
5	2	1	9	7	8	6	4	3

84

3	2	8	9	1	6	7	4	5
7	6	9	4	3	5	8	1	2
1	4	5	7	2	8	9	6	3
2	3	1	6	5	9	4	8	7
8	7	6	1	4	3	5	2	9
9	5	4	8	7	2	1	3	6
6	9	3	5	8	4	2	7	1
5	8	7	2	6	1	3	9	4
4	1	2	3	9	7	6	5	8

Solutions

85

9	5	2	3	4	1	7	6	8
4	7	6	8	5	2	3	1	9
1	3	8	9	7	6	5	2	4
8	2	3	4	6	7	9	5	1
6	1	7	2	9	5	8	4	3
5	9	4	1	3	8	6	7	2
7	8	1	5	2	3	4	9	6
3	4	5	6	1	9	2	8	7
2	6	9	7	8	4	1	3	5

86

5	3	1	7	2	9	8	6	4
7	4	2	1	6	8	3	5	9
6	8	9	3	4	5	1	7	2
3	7	4	5	1	6	2	9	8
1	5	6	9	8	2	4	3	7
9	2	8	4	7	3	5	1	6
2	6	5	8	9	1	7	4	3
8	1	7	6	3	4	9	2	5
4	9	3	2	5	7	6	8	1

Ultimate Su Doku

87

6	4	5	3	2	9	1	8	7
3	2	1	8	7	4	5	6	9
9	7	8	5	6	1	3	4	2
4	1	7	2	9	3	8	5	6
2	3	6	7	5	8	9	1	4
8	5	9	1	4	6	7	2	3
5	6	2	9	1	7	4	3	8
1	9	3	4	8	2	6	7	5
7	8	4	6	3	5	2	9	1

88

5	8	3	4	1	6	2	7	9
6	1	9	8	7	2	3	4	5
7	4	2	3	5	9	6	8	1
8	2	7	5	9	3	4	1	6
1	5	4	2	6	8	7	9	3
9	3	6	1	4	7	5	2	8
2	6	1	7	8	5	9	3	4
3	9	8	6	2	4	1	5	7
4	7	5	9	3	1	8	6	2

Solutions

89

3	7	5	2	1	6	8	4	9
6	9	2	7	8	4	3	5	1
4	8	1	9	3	5	6	2	7
5	2	8	6	4	9	1	7	3
7	6	4	3	5	1	2	9	8
1	3	9	8	7	2	4	6	5
9	1	3	4	6	7	5	8	2
8	4	7	5	2	3	9	1	6
2	5	6	1	9	8	7	3	4

90

6	2	7	5	4	1	3	9	8
4	8	9	6	7	3	5	1	2
5	1	3	2	8	9	7	6	4
3	7	5	9	6	4	2	8	1
1	4	6	3	2	8	9	5	7
2	9	8	1	5	7	6	4	3
9	3	4	7	1	6	8	2	5
8	6	2	4	3	5	1	7	9
7	5	1	8	9	2	4	3	6

91

4	7	6	3	5	2	8	1	9
3	2	1	4	8	9	7	5	6
9	5	8	7	1	6	3	2	4
7	3	4	8	2	1	6	9	5
8	6	5	9	7	4	1	3	2
2	1	9	5	6	3	4	8	7
1	4	7	2	3	5	9	6	8
5	8	3	6	9	7	2	4	1
6	9	2	1	4	8	5	7	3

92

1	3	7	9	2	5	6	8	4
4	5	8	3	6	7	2	1	9
2	6	9	8	1	4	7	5	3
7	1	5	2	3	9	4	6	8
8	2	6	5	4	1	3	9	7
3	9	4	6	7	8	1	2	5
6	8	3	4	9	2	5	7	1
9	4	1	7	5	6	8	3	2
5	7	2	1	8	3	9	4	6

Solutions

93

3	2	8	1	9	7	4	5	6
6	7	4	3	2	5	1	8	9
9	1	5	6	8	4	2	3	7
5	6	1	9	7	3	8	2	4
7	4	2	8	5	6	3	9	1
8	3	9	4	1	2	6	7	5
2	8	6	5	4	9	7	1	3
4	5	7	2	3	1	9	6	8
1	9	3	7	6	8	5	4	2

94

1	6	7	4	2	9	5	3	8
9	3	5	6	7	8	1	4	2
4	8	2	1	3	5	6	9	7
8	7	4	3	9	1	2	5	6
6	2	1	8	5	4	3	7	9
3	5	9	7	6	2	8	1	4
7	9	8	2	1	3	4	6	5
2	1	6	5	4	7	9	8	3
5	4	3	9	8	6	7	2	1

95

9	2	5	3	6	7	8	4	1
7	6	3	4	8	1	2	5	9
4	1	8	2	5	9	6	7	3
6	5	2	1	7	8	3	9	4
8	4	7	5	9	3	1	6	2
3	9	1	6	4	2	7	8	5
1	8	9	7	3	4	5	2	6
5	3	4	8	2	6	9	1	7
2	7	6	9	1	5	4	3	8

96

8	5	2	7	1	6	4	9	3
9	3	6	8	4	2	7	1	5
7	4	1	5	3	9	6	2	8
4	6	5	2	8	1	3	7	9
1	8	3	9	6	7	5	4	2
2	9	7	3	5	4	8	6	1
5	1	9	6	7	8	2	3	4
6	2	8	4	9	3	1	5	7
3	7	4	1	2	5	9	8	6

97

5	3	6	2	9	8	4	7	1
1	7	4	5	3	6	2	8	9
2	8	9	7	1	4	6	5	3
4	1	2	8	6	5	9	3	7
6	5	3	4	7	9	8	1	2
8	9	7	1	2	3	5	6	4
7	6	5	3	4	2	1	9	8
9	2	1	6	8	7	3	4	5
3	4	8	9	5	1	7	2	6

98

7	9	3	2	4	1	8	6	5
5	1	4	9	8	6	3	2	7
8	2	6	3	5	7	9	4	1
2	5	8	7	1	3	6	9	4
6	4	9	5	2	8	7	1	3
3	7	1	6	9	4	5	8	2
4	3	2	8	7	9	1	5	6
1	8	7	4	6	5	2	3	9
9	6	5	1	3	2	4	7	8

Ultimate Su Doku

99

3	6	8	1	9	4	7	5	2
1	7	2	5	3	8	4	6	9
5	4	9	6	7	2	8	3	1
9	5	4	2	8	1	6	7	3
8	2	1	3	6	7	5	9	4
6	3	7	4	5	9	1	2	8
7	8	6	9	1	3	2	4	5
2	9	5	8	4	6	3	1	7
4	1	3	7	2	5	9	8	6

100

4	6	2	8	1	9	3	5	7
5	8	7	6	4	3	1	9	2
9	1	3	7	2	5	8	4	6
2	9	5	4	6	8	7	1	3
3	4	1	2	9	7	6	8	5
8	7	6	5	3	1	4	2	9
7	5	9	1	8	6	2	3	4
6	2	8	3	5	4	9	7	1
1	3	4	9	7	2	5	6	8

101

6	3	2	1	5	4	8	7	9
8	9	1	2	3	7	4	6	5
4	7	5	6	8	9	3	1	2
3	5	4	8	6	2	1	9	7
7	6	8	9	1	5	2	3	4
1	2	9	4	7	3	6	5	8
5	4	6	3	9	8	7	2	1
9	8	3	7	2	1	5	4	6
2	1	7	5	4	6	9	8	3

102

8	6	4	5	7	1	2	3	9
3	1	5	2	4	9	7	8	6
7	9	2	3	6	8	5	1	4
2	4	7	9	1	5	8	6	3
9	8	6	4	3	2	1	7	5
1	5	3	7	8	6	9	4	2
6	2	8	1	9	3	4	5	7
5	7	1	6	2	4	3	9	8
4	3	9	8	5	7	6	2	1

Ultimate Su Doku

103

2	9	5	3	1	6	7	8	4
8	1	4	5	2	7	9	6	3
3	7	6	8	4	9	2	5	1
4	8	3	1	7	2	6	9	5
7	6	2	4	9	5	3	1	8
9	5	1	6	3	8	4	7	2
5	3	8	7	6	4	1	2	9
1	2	7	9	8	3	5	4	6
6	4	9	2	5	1	8	3	7

104

1	8	3	6	4	7	5	2	9
4	6	9	8	5	2	7	3	1
2	7	5	1	3	9	8	6	4
3	4	2	5	1	8	9	7	6
5	9	7	2	6	3	4	1	8
6	1	8	9	7	4	2	5	3
8	3	1	4	2	5	6	9	7
7	2	4	3	9	6	1	8	5
9	5	6	7	8	1	3	4	2

Solutions

105

4	3	5	9	8	6	1	7	2
6	9	1	2	3	7	5	8	4
7	2	8	4	5	1	3	6	9
2	1	4	5	6	9	8	3	7
9	7	6	3	1	8	2	4	5
5	8	3	7	2	4	6	9	1
1	5	9	8	7	3	4	2	6
3	6	7	1	4	2	9	5	8
8	4	2	6	9	5	7	1	3

106

1	2	4	7	5	9	3	6	8
6	3	8	1	2	4	7	9	5
5	7	9	3	6	8	4	1	2
8	5	3	2	7	1	6	4	9
2	9	7	8	4	6	1	5	3
4	6	1	5	9	3	8	2	7
7	4	2	6	8	5	9	3	1
9	1	5	4	3	7	2	8	6
3	8	6	9	1	2	5	7	4

Ultimate Su Doku

107

7	1	2	3	5	8	6	9	4
4	3	5	1	6	9	2	7	8
6	8	9	7	2	4	3	1	5
2	9	7	5	4	3	1	8	6
8	5	4	6	1	7	9	2	3
3	6	1	9	8	2	5	4	7
1	4	6	2	7	5	8	3	9
5	7	3	8	9	1	4	6	2
9	2	8	4	3	6	7	5	1

108

5	3	6	8	7	1	4	2	9
1	8	9	2	3	4	7	6	5
7	4	2	6	9	5	1	3	8
2	1	5	4	6	9	8	7	3
4	6	3	5	8	7	2	9	1
8	9	7	3	1	2	6	5	4
6	5	8	7	4	3	9	1	2
9	2	4	1	5	6	3	8	7
3	7	1	9	2	8	5	4	6

Solutions

109

5	6	8	2	3	1	9	4	7
4	2	7	5	8	9	1	6	3
3	9	1	4	7	6	2	5	8
1	4	5	3	9	2	8	7	6
7	8	9	1	6	4	3	2	5
6	3	2	7	5	8	4	9	1
8	7	6	9	2	3	5	1	4
9	1	3	6	4	5	7	8	2
2	5	4	8	1	7	6	3	9

110

9	7	5	3	8	4	6	2	1
3	8	1	6	9	2	7	5	4
6	4	2	7	5	1	9	8	3
4	5	6	8	1	9	2	3	7
2	1	3	4	6	7	8	9	5
7	9	8	5	2	3	1	4	6
8	2	4	1	7	5	3	6	9
1	3	9	2	4	6	5	7	8
5	6	7	9	3	8	4	1	2

Ultimate Su Doku

111

1	7	9	6	3	5	8	4	2
2	6	5	4	1	8	3	7	9
4	3	8	9	7	2	1	6	5
6	8	7	1	5	4	9	2	3
3	2	1	8	9	7	6	5	4
5	9	4	3	2	6	7	8	1
9	5	2	7	8	1	4	3	6
7	1	6	5	4	3	2	9	8
8	4	3	2	6	9	5	1	7

112

4	3	8	9	7	5	6	1	2
9	5	1	4	2	6	8	3	7
2	6	7	8	1	3	5	9	4
3	9	5	1	6	4	7	2	8
7	1	2	3	5	8	9	4	6
8	4	6	7	9	2	3	5	1
5	7	9	2	8	1	4	6	3
1	8	3	6	4	9	2	7	5
6	2	4	5	3	7	1	8	9

113

2	5	1	8	3	7	9	4	6
3	7	6	1	9	4	2	8	5
4	9	8	2	6	5	7	3	1
7	3	2	9	4	6	5	1	8
6	4	5	7	8	1	3	9	2
8	1	9	5	2	3	4	6	7
9	8	7	4	1	2	6	5	3
1	2	3	6	5	9	8	7	4
5	6	4	3	7	8	1	2	9

114

5	3	9	6	7	2	4	1	8
2	4	6	3	8	1	5	9	7
1	7	8	4	9	5	3	2	6
9	1	5	7	6	4	8	3	2
8	2	4	5	1	3	7	6	9
3	6	7	8	2	9	1	4	5
4	9	3	2	5	7	6	8	1
7	8	2	1	4	6	9	5	3
6	5	1	9	3	8	2	7	4

Ultimate Su Doku

115

7	9	1	8	6	3	4	2	5
4	8	6	1	2	5	7	9	3
3	2	5	9	4	7	6	8	1
8	5	7	2	1	9	3	4	6
1	4	3	6	7	8	9	5	2
2	6	9	5	3	4	1	7	8
9	3	8	7	5	1	2	6	4
6	7	4	3	8	2	5	1	9
5	1	2	4	9	6	8	3	7

116

8	7	4	1	9	2	5	6	3
1	3	2	8	5	6	4	7	9
5	6	9	3	4	7	2	1	8
9	2	3	6	1	8	7	4	5
7	8	5	9	2	4	1	3	6
6	4	1	7	3	5	8	9	2
4	9	6	2	8	1	3	5	7
2	1	7	5	6	3	9	8	4
3	5	8	4	7	9	6	2	1

Solutions

117

9	3	4	7	6	1	5	2	8
6	2	8	9	5	4	3	7	1
7	1	5	2	3	8	6	4	9
5	8	3	1	9	7	4	6	2
2	7	6	4	8	5	9	1	3
4	9	1	3	2	6	8	5	7
8	6	2	5	1	9	7	3	4
1	5	7	8	4	3	2	9	6
3	4	9	6	7	2	1	8	5

118

7	3	8	1	9	5	2	6	4
9	2	6	8	3	4	7	5	1
5	4	1	7	6	2	9	3	8
2	9	4	6	1	3	8	7	5
8	5	7	2	4	9	6	1	3
1	6	3	5	8	7	4	2	9
6	7	9	4	5	1	3	8	2
4	8	5	3	2	6	1	9	7
3	1	2	9	7	8	5	4	6

119

4	2	9	1	5	7	3	8	6
1	6	3	2	9	8	7	4	5
8	5	7	6	4	3	9	2	1
9	4	2	3	8	6	1	5	7
5	1	6	4	7	2	8	9	3
3	7	8	9	1	5	2	6	4
2	8	1	5	3	4	6	7	9
7	3	4	8	6	9	5	1	2
6	9	5	7	2	1	4	3	8

120

5	9	6	2	7	8	4	3	1
2	7	8	1	3	4	6	9	5
3	1	4	6	9	5	2	7	8
4	3	5	7	8	9	1	2	6
8	6	9	5	2	1	7	4	3
1	2	7	4	6	3	8	5	9
6	4	1	9	5	2	3	8	7
9	8	2	3	1	7	5	6	4
7	5	3	8	4	6	9	1	2

121

8	5	6	2	9	4	1	3	7
4	2	3	1	7	8	6	9	5
1	9	7	6	3	5	2	8	4
2	3	1	5	6	7	9	4	8
5	7	8	9	4	1	3	2	6
9	6	4	3	8	2	7	5	1
3	4	9	7	5	6	8	1	2
7	1	5	8	2	9	4	6	3
6	8	2	4	1	3	5	7	9

122

2	1	7	8	9	5	3	6	4
9	5	3	1	4	6	2	7	8
4	8	6	7	3	2	5	1	9
8	4	9	5	1	3	7	2	6
6	2	1	9	8	7	4	3	5
7	3	5	2	6	4	8	9	1
3	7	4	6	5	9	1	8	2
1	9	2	4	7	8	6	5	3
5	6	8	3	2	1	9	4	7

Ultimate Su Doku

123

3	5	4	9	6	8	7	1	2
2	7	1	4	3	5	8	6	9
9	8	6	2	7	1	3	5	4
1	4	8	5	9	2	6	3	7
6	3	2	1	8	7	4	9	5
5	9	7	3	4	6	2	8	1
7	1	3	8	5	4	9	2	6
8	6	5	7	2	9	1	4	3
4	2	9	6	1	3	5	7	8

124

6	2	1	5	9	7	4	3	8
5	3	8	1	4	6	9	7	2
4	7	9	8	3	2	5	1	6
8	4	3	9	2	5	7	6	1
7	5	2	3	6	1	8	4	9
9	1	6	4	7	8	2	5	3
1	9	4	2	5	3	6	8	7
2	8	7	6	1	4	3	9	5
3	6	5	7	8	9	1	2	4

Solutions

125

6	7	3	4	8	2	1	5	9
2	1	8	9	6	5	7	4	3
4	5	9	7	1	3	8	2	6
9	8	2	3	5	7	6	1	4
1	3	5	8	4	6	9	7	2
7	4	6	1	2	9	5	3	8
8	2	7	6	3	1	4	9	5
5	6	1	2	9	4	3	8	7
3	9	4	5	7	8	2	6	1

126

5	9	8	3	4	6	2	7	1
2	3	6	8	1	7	5	9	4
7	1	4	5	2	9	6	3	8
4	5	9	2	8	3	7	1	6
3	8	7	6	9	1	4	2	5
1	6	2	7	5	4	9	8	3
9	2	3	4	6	8	1	5	7
8	4	5	1	7	2	3	6	9
6	7	1	9	3	5	8	4	2

127

7	8	9	2	1	3	5	6	4
6	3	2	4	5	9	8	1	7
1	4	5	7	8	6	3	2	9
9	2	6	3	7	4	1	5	8
4	5	7	8	2	1	9	3	6
8	1	3	6	9	5	7	4	2
2	7	1	5	4	8	6	9	3
3	9	4	1	6	7	2	8	5
5	6	8	9	3	2	4	7	1

128

9	4	2	8	7	1	3	6	5
1	3	5	6	2	9	4	8	7
7	6	8	3	4	5	9	1	2
2	5	6	9	8	3	1	7	4
4	7	1	2	5	6	8	3	9
8	9	3	4	1	7	5	2	6
3	8	9	7	6	4	2	5	1
6	1	4	5	3	2	7	9	8
5	2	7	1	9	8	6	4	3

Solutions

129

4	6	7	2	3	1	8	9	5
2	5	3	8	6	9	1	7	4
1	8	9	7	4	5	2	3	6
3	2	8	6	1	4	7	5	9
6	9	5	3	2	7	4	1	8
7	4	1	5	9	8	3	6	2
5	1	2	9	8	3	6	4	7
8	7	4	1	5	6	9	2	3
9	3	6	4	7	2	5	8	1

130

8	4	1	2	5	3	6	7	9
7	2	9	6	1	8	4	5	3
6	3	5	9	4	7	8	1	2
4	6	2	3	9	5	7	8	1
9	1	7	4	8	6	2	3	5
3	5	8	7	2	1	9	4	6
2	9	3	1	7	4	5	6	8
5	7	6	8	3	2	1	9	4
1	8	4	5	6	9	3	2	7

131

4	7	5	8	6	1	3	9	2
6	1	2	5	3	9	4	7	8
9	3	8	7	2	4	1	5	6
3	4	1	6	8	7	9	2	5
2	8	7	1	9	5	6	3	4
5	6	9	2	4	3	7	8	1
1	5	3	4	7	2	8	6	9
7	2	6	9	1	8	5	4	3
8	9	4	3	5	6	2	1	7

132

7	5	6	8	1	2	4	3	9
4	9	3	6	5	7	2	8	1
2	1	8	3	4	9	5	6	7
1	3	4	5	2	8	9	7	6
9	7	5	4	3	6	1	2	8
8	6	2	7	9	1	3	4	5
5	2	7	1	8	3	6	9	4
3	8	1	9	6	4	7	5	2
6	4	9	2	7	5	8	1	3

Solutions

133

5	3	6	2	4	7	1	8	9
4	2	7	9	8	1	5	3	6
1	8	9	3	5	6	7	2	4
7	9	4	5	3	8	6	1	2
3	5	8	1	6	2	9	4	7
2	6	1	4	7	9	3	5	8
9	7	3	8	2	5	4	6	1
8	1	5	6	9	4	2	7	3
6	4	2	7	1	3	8	9	5

134

9	8	3	7	4	5	6	2	1
1	2	7	9	8	6	4	5	3
5	6	4	3	1	2	8	7	9
3	7	8	1	9	4	5	6	2
2	5	1	6	7	3	9	4	8
6	4	9	2	5	8	1	3	7
4	3	6	8	2	1	7	9	5
8	9	2	5	6	7	3	1	4
7	1	5	4	3	9	2	8	6

135

2	9	7	5	8	4	6	1	3
6	4	8	1	2	3	7	5	9
5	1	3	7	6	9	2	4	8
4	6	9	2	3	5	1	8	7
3	5	1	4	7	8	9	6	2
8	7	2	9	1	6	4	3	5
7	2	5	8	4	1	3	9	6
9	3	4	6	5	2	8	7	1
1	8	6	3	9	7	5	2	4

136

9	3	6	4	7	8	5	1	2
5	2	8	6	3	1	9	4	7
4	1	7	5	9	2	6	3	8
1	9	3	2	5	4	7	8	6
7	8	5	9	1	6	4	2	3
6	4	2	7	8	3	1	9	5
3	5	4	8	6	9	2	7	1
2	6	1	3	4	7	8	5	9
8	7	9	1	2	5	3	6	4

Solutions

137

6	2	3	9	8	5	4	1	7
4	8	5	6	7	1	3	2	9
7	9	1	3	2	4	6	8	5
5	1	8	7	3	2	9	4	6
9	3	6	5	4	8	1	7	2
2	7	4	1	6	9	8	5	3
8	4	9	2	5	3	7	6	1
1	6	2	8	9	7	5	3	4
3	5	7	4	1	6	2	9	8

138

6	4	7	2	8	1	9	3	5
5	3	8	7	6	9	1	2	4
9	1	2	5	3	4	8	7	6
3	5	4	6	7	8	2	9	1
7	2	1	4	9	5	6	8	3
8	9	6	1	2	3	5	4	7
2	8	5	3	4	6	7	1	9
4	6	9	8	1	7	3	5	2
1	7	3	9	5	2	4	6	8

139

5	1	6	8	2	4	9	7	3
3	9	8	5	6	7	2	4	1
7	2	4	3	9	1	8	5	6
6	7	1	9	8	2	5	3	4
2	3	9	6	4	5	7	1	8
4	8	5	1	7	3	6	2	9
9	4	2	7	1	8	3	6	5
1	6	3	2	5	9	4	8	7
8	5	7	4	3	6	1	9	2

140

7	1	2	8	5	9	6	3	4
4	5	9	7	3	6	8	1	2
6	3	8	2	4	1	5	9	7
9	4	6	5	8	2	3	7	1
8	2	5	3	1	7	4	6	9
1	7	3	9	6	4	2	5	8
5	6	4	1	7	8	9	2	3
3	9	7	4	2	5	1	8	6
2	8	1	6	9	3	7	4	5

Solutions

8	1	6	5	A	3	7	9	C	0	D	E	B	F	2	4
4	0	3	B	C	2	5	E	9	8	1	F	D	7	A	6
F	C	A	E	6	B	D	8	5	7	2	4	0	3	1	9
9	D	2	7	1	0	4	F	3	B	6	A	C	5	8	E
0	3	1	C	7	9	8	2	E	4	B	6	F	A	D	5
7	6	5	2	F	1	C	B	8	3	A	D	4	E	9	0
D	F	B	8	0	A	E	4	2	C	5	9	3	6	7	1
E	9	4	A	D	6	3	5	0	F	7	1	8	2	C	B
2	8	0	6	3	D	9	A	F	1	4	7	E	B	5	C
C	B	9	D	5	E	2	0	A	6	3	8	7	1	4	F
A	7	F	3	8	4	1	C	B	2	E	5	6	9	0	D
1	5	E	4	B	7	F	6	D	9	0	C	A	8	3	2
B	A	C	1	2	8	6	3	4	E	9	0	5	D	F	7
5	2	D	F	9	C	0	7	6	A	8	B	1	4	E	3
3	E	8	0	4	5	B	1	7	D	F	2	9	C	6	A
6	4	7	9	E	F	A	D	1	5	C	3	2	0	B	8

8	2	6	4	D	C	B	F	1	3	0	7	5	9	A	E
9	3	7	B	4	5	A	6	8	D	E	F	C	2	0	1
C	A	E	5	8	2	1	0	6	B	4	9	D	F	3	7
0	F	1	D	E	3	7	9	C	2	5	A	B	8	6	4
2	D	C	1	6	A	5	4	F	E	3	0	8	B	7	9
5	E	F	A	1	9	3	B	D	6	7	8	4	0	2	C
4	8	0	9	2	D	C	7	5	1	A	B	E	6	F	3
7	B	3	6	0	E	F	8	4	C	9	2	A	5	1	D
E	0	A	3	B	F	D	1	2	7	C	6	9	4	5	8
6	4	D	F	A	7	9	C	0	5	8	1	2	3	E	B
1	9	8	2	5	6	4	E	B	A	D	3	0	7	C	F
B	C	5	7	3	8	0	2	9	4	F	E	1	A	D	6
A	1	4	8	F	B	2	3	E	0	6	C	7	D	9	5
D	6	B	C	7	4	E	A	3	9	2	5	F	1	8	0
F	5	2	E	9	0	6	D	7	8	1	4	3	C	B	A
3	7	9	0	C	1	8	5	A	F	B	D	6	E	4	2

E	D	1	5	6	4	B	0	9	3	2	F	7	8	A	C
F	6	C	4	3	A	9	D	E	8	7	0	1	B	2	5
7	3	0	2	5	8	F	E	C	1	B	A	9	6	4	D
9	A	8	B	2	1	C	7	4	6	5	D	0	3	F	E
0	F	B	8	1	C	A	4	5	7	D	6	E	9	3	2
5	9	E	C	8	F	6	B	0	2	A	3	4	7	D	1
D	2	7	A	E	3	5	9	1	B	F	4	6	0	C	8
4	1	3	6	7	0	D	2	8	9	C	E	5	F	B	A
3	4	F	1	9	6	2	C	A	E	8	5	B	D	0	7
2	7	6	0	F	B	4	8	3	D	1	C	A	5	E	9
8	5	9	D	0	E	3	A	B	4	6	7	C	2	1	F
B	C	A	E	D	7	1	5	2	F	0	9	8	4	6	3
C	B	4	3	A	2	8	6	F	5	9	1	D	E	7	0
A	E	D	7	4	5	0	F	6	C	3	8	2	1	9	B
6	0	5	F	B	9	7	1	D	A	E	2	3	C	8	4
1	8	2	9	C	D	E	3	7	0	4	B	F	A	5	6

144

4	A	D	1	5	2	C	F	8	3	6	9	7	0	E	B
F	B	8	7	0	D	A	9	4	5	2	E	3	6	C	1
5	0	6	2	3	B	8	E	D	7	1	C	F	4	A	9
C	3	E	9	6	7	1	4	B	F	0	A	8	2	D	5
9	4	A	D	C	1	5	6	2	E	F	8	0	7	B	3
8	6	C	E	4	9	7	D	5	0	3	B	A	F	1	2
1	2	5	3	F	0	E	B	9	C	A	7	D	8	4	6
B	7	0	F	2	A	3	8	6	D	4	1	E	5	9	C
0	F	2	C	9	4	D	7	3	1	8	6	B	E	5	A
D	E	1	B	A	C	2	5	7	4	9	0	6	3	F	8
7	5	4	8	B	6	F	3	C	A	E	2	1	9	0	D
6	9	3	A	8	E	0	1	F	B	D	5	4	C	2	7
3	D	F	6	E	5	9	C	A	8	B	4	2	1	7	0
E	1	B	4	7	3	6	2	0	9	5	D	C	A	8	F
A	8	7	5	1	F	B	0	E	2	C	3	9	D	6	4
2	C	9	0	D	8	4	A	1	6	7	F	5	B	3	E

1	2	D	B	9	A	F	7	C	6	0	5	4	8	3	E
0	A	5	9	B	D	C	2	3	E	4	8	6	F	7	1
3	E	7	6	0	4	5	8	F	A	1	D	B	2	C	9
4	C	8	F	3	6	E	1	2	7	B	9	A	0	D	5
2	6	1	E	A	8	B	C	4	F	7	0	9	3	5	D
A	D	3	8	5	2	4	0	6	C	9	E	1	7	F	B
5	9	F	0	7	E	D	3	A	B	8	1	2	6	4	C
B	7	C	4	6	9	1	F	5	3	D	2	E	A	8	0
E	0	6	7	1	C	A	B	9	8	F	4	D	5	2	3
9	5	4	D	F	7	2	6	B	0	A	3	C	1	E	8
F	1	B	3	E	5	8	4	7	D	2	C	0	9	6	A
C	8	2	A	D	3	0	9	E	1	5	6	7	4	B	F
7	4	9	2	8	1	3	E	D	5	C	A	F	B	0	6
8	B	A	C	4	0	6	5	1	2	E	F	3	D	9	7
6	F	0	1	C	B	9	D	8	4	3	7	5	E	A	2
D	3	E	5	2	F	7	A	0	9	6	B	8	C	1	4

2	8	B	6	5	9	0	3	C	1	4	A	D	E	F	7
1	D	C	3	F	7	2	B	8	9	5	E	4	6	0	A
0	5	E	A	4	C	D	1	3	7	F	6	9	2	B	8
9	F	7	4	E	6	A	8	B	2	D	0	3	5	C	1
8	4	2	9	D	5	3	C	E	B	6	F	A	7	1	0
B	C	D	5	0	4	6	E	7	A	1	8	F	9	2	3
A	E	F	7	2	B	1	9	D	5	0	3	C	4	8	6
3	0	6	1	7	F	8	A	2	C	9	4	E	B	D	5
D	3	4	B	1	2	E	7	9	F	A	5	0	8	6	C
F	1	8	E	6	0	B	5	4	3	C	7	2	A	9	D
5	9	A	C	3	8	F	4	6	0	2	D	7	1	E	B
6	7	0	2	C	A	9	D	1	E	8	B	5	3	4	F
C	A	3	D	B	1	7	6	0	4	E	2	8	F	5	9
4	2	9	F	A	3	C	0	5	8	B	1	6	D	7	E
7	6	1	0	8	E	5	2	F	D	3	9	B	C	A	4
E	B	5	8	9	D	4	F	A	6	7	C	1	0	3	2

Ultimate Su Doku

A	0	5	1	B	2	D	E	8	6	4	9	3	7	F	C
8	2	F	D	A	6	3	0	7	5	C	B	4	9	1	E
9	3	C	4	7	1	5	F	2	D	A	E	B	0	8	6
6	E	B	7	8	4	C	9	0	3	1	F	5	A	2	D
B	7	A	6	1	9	8	3	4	0	E	5	F	C	D	2
C	5	0	3	6	7	4	B	1	2	F	D	A	E	9	8
F	4	8	E	C	A	2	D	6	9	7	3	1	B	0	5
D	9	1	2	F	0	E	5	A	C	B	8	6	3	4	7
5	1	6	F	D	B	A	8	9	7	3	4	E	2	C	0
4	D	3	8	2	F	1	6	E	B	0	C	7	5	A	9
E	A	9	C	5	3	0	7	F	1	D	2	8	6	B	4
7	B	2	0	E	C	9	4	5	8	6	A	D	F	3	1
2	6	4	A	0	E	7	C	B	F	8	1	9	D	5	3
3	F	D	B	4	5	6	1	C	E	9	0	2	8	7	A
0	8	7	5	9	D	B	A	3	4	2	6	C	1	E	F
1	C	E	9	3	8	F	2	D	A	5	7	0	4	6	B

D	F	7	C	8	3	A	5	2	0	B	6	4	1	9	E
3	B	9	5	1	0	4	7	C	E	A	D	F	2	8	6
A	6	0	4	B	2	C	E	F	9	1	8	5	D	7	3
E	8	2	1	9	F	6	D	7	5	3	4	C	0	A	B
7	E	3	B	F	9	2	1	D	8	4	A	6	C	0	5
6	C	5	8	A	4	3	B	E	2	0	F	9	7	1	D
4	0	A	2	E	5	D	6	9	7	C	1	3	8	B	F
F	D	1	9	7	C	8	0	3	B	6	5	A	E	4	2
9	4	F	D	5	E	B	8	6	A	2	0	7	3	C	1
B	7	E	A	0	D	F	9	1	3	5	C	2	4	6	8
1	5	6	3	2	A	7	C	8	4	E	9	D	B	F	0
8	2	C	0	3	6	1	4	B	F	D	7	E	A	5	9
5	A	4	F	6	8	E	2	0	1	7	3	B	9	D	C
0	1	D	6	4	B	5	3	A	C	9	E	8	F	2	7
2	3	8	7	C	1	9	A	5	D	F	B	0	6	E	4
C	9	B	E	D	7	0	F	4	6	8	2	1	5	3	A

Ultimate Su Doku

4	A	F	7	6	B	3	E	5	2	D	8	1	C	9	0
B	2	3	E	0	8	C	4	1	F	6	9	5	A	D	7
D	C	8	5	2	1	F	9	4	0	7	A	6	3	E	B
9	0	1	6	7	A	D	5	3	C	B	E	4	F	2	8
7	F	C	2	B	4	8	0	D	6	E	3	A	5	1	9
8	9	E	A	5	C	2	D	F	7	1	0	B	4	6	3
6	B	4	D	A	7	1	3	9	5	8	2	C	E	0	F
0	1	5	3	E	F	9	6	A	4	C	B	D	7	8	2
1	3	7	C	9	D	E	8	B	A	F	6	0	2	5	4
2	6	B	8	4	0	5	7	C	D	3	1	F	9	A	E
A	D	0	F	3	2	B	1	E	9	5	4	7	8	C	6
5	E	9	4	F	6	A	C	0	8	2	7	3	1	B	D
3	4	D	1	8	9	0	B	7	E	A	5	2	6	F	C
C	5	A	B	D	E	6	2	8	3	4	F	9	0	7	1
E	7	6	0	1	5	4	F	2	B	9	C	8	D	3	A
F	8	2	9	C	3	7	A	6	1	0	D	E	B	4	5

THE TIMES
Su Doku

The Times Su Doku Book 1
ISBN 0-00-720732-8

The Times Su Doku Book 2
ISBN 0-00-721350-6

The Times Su Doku Book 3
ISBN 0-00-721426-x

The Times Su Doku Book 4
ISBN 0-00-722241-6

THE ✺ TIMES

Su Doku

The Times Junior Su Doku
ISBN 0-00-722093-6

The Times Killer Su Doku
ISBN 0-00-722363-3

Puzzles by Pappocom presents

www.sudoku.com

the Su Doku website for all Su Doku fans. Check it out for tips on solving, and for all the latest news in the world of Sudoku.

Want more puzzles of your favourite grade?

For an endless supply of the best Su Doku puzzles get the Sudoku program for your Windows PC. Download a 28-day free try-out version of the program from www.sudoku.com/download.htm

Here's what you can do with the computer program that you cannot do with pencil and paper:

- Never run out of the grade of puzzle you enjoy the most
- Check whether your answer is correct with just one click
- Elect to be alerted if you make a wrong entry
- Delete numbers easily, with just a click
- Elect to have your puzzles timed, automatically
- Get hints, if you need them
- Replay the same puzzle, as many times as you like